Simone Grünig

AF220986

Worte wie Bilder

Reflexionen

Erstausgabe: November 2002

ISBN der Einzelausgabe: 978-3-8311-4490-7

Inhalt

Zur Erklärung	7
Worte	9
Immer	10
Der Himmel ist in den Armen	12
Es war einmal	15
Gefallen	19
Heiterkeit	20
Anbetung	22
Geborgenheit	24
Unterwegs 1	25
Unterwegs 2	26
Dazwischen (oder: Unterwegs 3)	27
Wertvoll	28
Wind	30
Bilder – Puzzle	32
Zweifel	34
Leben wagen	36
Mauern	38
Liebe	40
Gott mit uns	42
Heilung	44
Sinfonie des Lebens	46
Erfüllung	48
Wir	49
Aufgeblüht	50
Sterntaler	51
Plötzlich und unerwartet	52
Sehnsucht	54

Trost			55
Trotzdem			56
Erwartung			57
Gebet in G-Dur			58
Gott erhört Gebet			60
Eingeschlafen			61
Lebensbilder	Kapitel	1	62
	Kapitel	2	67
	Kapitel	3	69
	Kapitel	4	73
Spiegelbilder			77
Schlusslied			78

Zur Erklärung

Ich kann nicht malen. Trotzdem habe ich es immer wieder versucht. Zum Beispiel für meine Kinder. Oft genug kamen sie mit Zettel, Stift und dem Wunsch "Mal mir was" angelaufen. Ich gab mir die größte Mühe. Aber meine unbeholfenen Versuche machten weder mich noch die Kinder froh. "Aber Mami, du solltest mir doch einen Hund malen!" Ich habe die vorwurfsvollen und enttäuschten Worte meines Jüngsten noch im Ohr. Und ebenso meine eigenen: "Aber es IST ein Hund. Sieh doch, er hat vier Beine, einen Schwanz und das da ist seine Schnauze..." Einen einzigen, kritischen Blick warf er noch auf mein Kunstwerk. Dann stand sein vernichtendes Urteil fest. "Ja. Vielleicht. Aber ein Hund ist das trotzdem nicht!"
Armes Kind. Armer Hund. Und arme, missverstandene Malerin.

Zum Glück für uns alle gibt es aber auch ganz andere Erinnerungen. Abends, wenn die Kinder satt und sauber in ihren Betten lagen; im Urlaub, wenn wir gemütlich zusammen saßen und bei vielen anderen Gelegenheiten, immer wieder baten sie: "Erzählst du uns was?" Und dann saßen sie und lasen mir die Worte von den Lippen. Dabei tat ich nichts Besonderes. Ich nahm einfach das, was wir sahen, erlebten, fühlten, glaubten und träumten und packte es in kleine Geschichten. Wir liebten diese Geschichten, weil wir uns selbst und unser Leben darin wieder fanden. Auf ganz alltägliche und trotzdem besondere Art und Weise.

So fing es an. Irgendwann merkte ich, dass Buchstaben und Worte für mich dasselbe sind, wie für den Maler Pinsel und Farben. Ein Hilfsmittel, um die Bilder in mir und um mich einzufangen, festzuhalten und auszudrücken. Schönes und Nachdenkliches, Überschwängliches und Schmerzliches, Wahres und Unverständliches und noch viel mehr. Es sind Worte vom Anfang, vom Ende und vom Weg, der dazwischenliegt. Und von dem der selbst Anfang und Ende ist und der Weg dazwischen. Worte aus dem nie endenden Gespräch zwischen mir und dem, der so wahr und echt ist, wie das Leben selbst. Und von dem ich doch nicht anders reden kann, als in Bildern.

Worte

Worte wie Vögel,
frei und scheu.
Du kannst sie nicht fangen,
darfst sie nicht einsperren.

Worte wie Blumen,
blühend und bunt.
Reiß sie nicht ab,
sonst sterben sie.

Worte wie Kinder,
vertrauend und unbekümmert.
Fang den Ball,
den sie dir zuwerfen.

Worte wie Bilder,
wahr und voller Sehnsucht,
die Wirklichkeit zu erfassen.
Ein Versuch nur, nicht mehr.

Worte wie Hände,
ausgestreckt nach dir.
Sie bitten und hoffen:
Hör zu und versteh´.

Immer

Immer wieder
schöpfst DU neu

Immer wieder
sprichst DU "Ja"

Immer wieder
steh´n wir staunend

vor dem Wunder,
das geschah.

Immer noch
klingt DEIN "Es werde"

Immer noch
vertraust DU dann

DEIN geliebtes
neues Werk

unsern schwachen
Händen an.

Immerfort
zeigst DU es wieder:

"Immerzu
bin ICH euch treu.

Bis ans Ende
dieser Erde."

Und dann
schöpfst DU wieder neu.

Der Himmel ist in den Armen
der Mutter

Still
Du musst nicht schreien,
weil deine Bedürfnisse dich dazu treiben.

Satt
Du brauchst deinen Hunger
nicht lautstark zu verkünden.

Zufrieden
Du bist versorgt.
Alles, was du brauchst, hast du bekommen.

Geborgen
Ohne Angst liegst du
in den Armen deiner Mutter.

Rein
Das ist nicht dein Verdienst.
Dafür sorgt deine Mutter.

Geliebt
Ein Kind der Liebe bist du,
der Liebe deiner Eltern.

Neu
Du stehst am Anfang und vor dir liegt das Leben.

Reich
Das alles gehört dir ...

... doch du wirst es verlieren.

Dann wirst du versuchen,
selbst deine Bedürfnisse zu befriedigen.
Doch das macht dich nicht still.

Lautstark wirst du deinen Hunger herausschreien
in der Hoffnung, dass dich jemand hört.

Ständig wirst du unzufrieden sein
und Angst wird dich um treiben.

Du wirst versuchen,
den Schmutz deines Lebens zu verbergen.

Und die Sehnsucht nach Liebe
wird dich verzehren.

Irgendwann wirst du begreifen,
dass man das alles nicht selbst in der Hand hat.
Dann brauchst du nicht zu verzweifeln.

Komm einfach zum Vater und sage:
Hier bin ich.

Ich bin es zwar nicht wert, dein Kind zu sein.
Aber so weit weg von dir
halte ich es nicht mehr aus.

Dann wirst du von neuem geboren werden.
Bei IHM wirst du wieder
still, *satt*, *zufrieden*,
geborgen, *rein* und *geliebt* sein.

Denn ER macht alles *neu*.
Vor dir liegt dann das Leben.
Reich bist du dann, unendlich reich, denn:

**Der Himmel ist in den Armen
des Vaters.**

Es war einmal ...

Es war einmal ein König. Kein gewöhnlicher, sondern ein ganz besonderer König. Und das Land, in dem er regierte, war auch etwas Besonderes. Hier gab es nämlich keine Nacht. Und weil es nie dunkel wurde, gab es auch keine Lampen. Aber es gab auch keine Sonne. Das alles war nicht nötig. Denn der König war der König des Lichtes. Das Licht kam direkt aus seinem Herzen und das ganze Land wurde davon hell und warm.

Der König hatte viele Kinder. Die kannten keine Traurigkeit und keine Tränen. Sie sangen, spielten und lernten miteinander und wenn sie arbeiteten, hatten sie viel Freude dabei. Und sie liebten den König, der ihr Vater war. Das war das Einzige, womit sie ihm für seine Liebe und Fürsorge danken konnten.

Nun geschah es eines Tages, dass einige Kinder in der Nähe einer Höhle spielten. Diese Höhle war aber der einzige Ort, wo sie nicht spielen durften. Das wussten sie zwar, aber sie waren sehr neugierig. Zu gern wollten sie wissen, was in dieser Höhle war. Der König würde es bestimmt nicht merken, wenn sie mal kurz hineinsehen würden, glaubten sie. Obwohl es in der Höhle ganz dunkel war und sie nichts erkennen konnten, gingen sie immer weiter.

Doch plötzlich rutschten sie auf dem abschüssigen, glatten Boden aus und fielen in ein Loch. Da half nun kein Schreien und Jammern. Sie fielen und fielen. Und irgendwann landeten sie recht unsanft auf dem Boden des Loches.

Benommen sahen sie sich um und merkten, dass sie in einem fremden Land waren. Hier war es nicht hell und warm wie zu Hause. Dunkel war es und kalt. Es gefiel ihnen gar nicht. Aber zurück konnten sie nicht mehr. Da setzten sie sich zusammen und überlegten, was sie jetzt tun könnten. Einige sagten: "Ach, so schlecht ist es hier gar nicht. Wir werden uns eben einrichten." Sie gingen los, bauten Häuser, pflanzten Felder. Und bald hatten sie vergessen, dass sie eigentlich gar nicht in dieses Land gehörten.
Andere Kinder sagten: "Wir wollen zurück. Wenn wir uns richtig anstrengen, werden wir es schon schaffen." Sie begannen Leitern zu bauen und Steigeisen in den Felsen zu hämmern. Dabei merkten sie gar nicht, dass es völlig unmöglich und sinnlos war.

Nun saßen nur noch wenige Kinder da. Sie wollten nicht in dem dunklen Land bleiben. Aber sie wussten auch, dass sie keine Chance hatten, jemals aus eigener Kraft den Rückweg zu schaffen. Und während sie darüber nachdachten, begannen sie zu weinen. Sie weinten über ihren Ungehorsam und seine Folgen. Aber sie weinten auch vor Sehnsucht nach dem König, der doch ihr Vater war. Weil sie aber Kinder vom König des Lichtes waren, geschah genau das, was immer passiert, wenn das Licht und der Regen sich treffen: In den Herzen dieser Kinder wuchs ein Regenbogen. Deshalb wurden sie von den anderen „Regenbogenkinder" genannt.

Der König des Lichtes hatte inzwischen längst gemerkt, dass einige seiner Kinder fehlten. Weil aber in seinem Herzen genauso viel Liebe wie Licht war, fing auch er an zu weinen. Er weinte so lange, bis sein Herz zerbrach. Als das Licht und die Tränen zusammenkamen, entstand ein Regenbogen. Der war so groß, dass er bis in das dunkle Land reichte. Die Regenbogenkinder entdeckten ihn gleich. Sie liefen den Regenbogen entlang bis zum Vater, fielen ihm um den Hals und dankten ihm von ganzem Herzen.

Und so ist es heute noch: Abends fassen sich die Regenbogenkinder an den Händen und laufen auf dem Regenbogen zu ihrem Vater. Aber morgens kommen sie zurück. Den ganzen Tag sind sie dann im dunklen Land unterwegs, um es ihren Geschwistern zu sagen: Es gibt einen Weg, einen Weg nach Hause. Kommt mit!

Gefallen

Ich habe gekämpft.
Bis zur Erschöpfung habe ich gerungen.
Doch ich wusste nicht, wer mein Gegner war.
Ich konnte sein Gesicht nicht erkennen.

Ich habe gerufen.
Bis zur Verzweiflung habe ich geschrie´n.
Immer wieder gabst DU mir Antwort.
Doch ich konnte sie nicht verstehen.

Ich habe mich gesehnt.
Nichts wollte ich mehr, als in DEINE Arme.
DU hast mich gelockt, wie die Henne ihr Küken.
Doch ich wusste nicht: Durfte ich kommen?

Ich war am Ende meiner Kraft;
konnte nichts mehr tun, als mich fallen zu lassen.
Da sah ich, dass DU es bist, Vater.
Und alles war gut.

Heiterkeit

DEIN Gesicht - voller Liebe.
DEINE Augen sehen mich an
und DU lachst mir zu.

Ich stehe gebannt,
kann mich nicht losreißen
und fasse es nicht.

Mit allem habe ich gerechnet:
Zorn, Kummer,
ich weiß nicht, was noch.

Doch diese liebevolle,
herzliche Heiterkeit
zieht mich zu DIR

und das Wissen
in den Augenwinkeln
um mich,

meine Anstrengungen,
Bemühungen und Kämpfe,
meinen Stolz.

Ich erkenne darin
den ganzen Ernst
DEINER Frage:

Wann wirst du stillhalten
und meine Liebe annehmen,
so wie sie ist?

Jetzt, Vater. Ich gebe auf.
DU hast gewonnen.
Alles. Mich. Meine Liebe.

Anbetung

Über mir
Himmelsblau

unter mir
das grüne Gras

Wind berührt mich
mild und lau

Großer Gott,
wie gut ist das.

Wie der Himmel
hoch und weit

umspannst DU treu
mein kleines Leben;

trägst wie die Erde
jederzeit

mich
und was DU mir gegeben.

DEINEN Atem

ahne ich

wenn der Windhauch
mich berührt.

Großer Gott,
ich beuge mich

weil mein Herz
DICH nahe spürt.

Geborgenheit

Ich wache auf und sehe,
dass ich in DEINEN Armen geschlafen habe.
DU lächelst mir zu und sagst:
"Mein Kind, es ist Zeit.
Sie warten auf dich, du musst gehen."

Ich lächle zurück und sage:
"Ja, Vater, ich gehe. Ich werde tun,
was DU willst und mir vor die Hände schickst.
Aber bleibe neben mir.
Ich brauche DEINE Kraft dazu."

DU nickst mir zu und ich beginne den Tag.
Ich spüre, wie sie meine Augen suchen
und ahne, warum.
Etwas von DEINEM Lächeln
steht wohl noch darin.
Ich schenke es denen, die mir begegnen.

Am Abend komme ich zurück und sage DIR
wie gut es war, dass DU neben mir warst
und wie traurig ich war, als ich es vergaß.
Dann schlafe ich auf DEINEM Schoß ein
und DEINE Augen sind über mir.

Unterwegs (1)

Getauft mit dem Geist der Weisheit,
und doch so ratlos und voller Fragen.

Getauft mit dem Geist der Wahrheit,
doch so wenig Klarheit über ja und nein.

Getauft mit dem Geist der Stärke,
und doch so kraftlos wie noch nie.

Getauft mit dem Geist der Ordnung,
und doch wird das Chaos in mir nicht kleiner.

Getauft mit dem Geist des Friedens,
doch ängstlich und den Tränen so nah.

Getauft mit dem Geist der Liebe,
doch so beschäftigt mit eigener Not.

Immer wieder fragen: Bist DU noch da?
Immer wieder bitten: Vergib!
Immer wieder hoffen, DU bleibst.
Immer wieder warten auf Antwort.
Immer wieder suchen nach DEINEN Früchten.
Immer wieder Sehnsucht nach der Fülle.

Unterwegs (2)

Noch hält mich
die Vergangenheit.
Geliebtes und Vertrautes
haben Macht über mich.

Trennungsschmerz
übertönt oft
das leise Locken
der Zukunft.

Die Gegenwart
will gelebt sein.
Laut und fordernd
verlangt sie ihr Recht.

Irgendwo dazwischen
suche ich meinen Weg.
Und DEINE Treue
ist über mir.

Dazwischen
(oder: Unterwegs 3)

Losgelöst
vom Vertrauten und Gewohnten

Entbunden
von Verantwortungen und Zwängen

Schwanken
zwischen Erwartung und Angst.

Freiheit.
Spiel mit Möglichkeiten.

Aussortieren.
Vorsichtiges Weitertasten.

DU
der du mich kennst
und meine Träume:

Führe mich.
Birg mich.
Schenk´ mir DEIN Leben!

Wertvoll

DEINE Liebe bestimmt meinen Wert.
- Nicht meine Jugend -
Warum sollte ich mich fürchten,
mein Ziel bist ja DU.

DEINE Liebe bestimmt meinen Wert.
- Nicht meine Schönheit -
Ich kann ruhig Frieden schließen
mit meinem Spiegelbild.

DEINE Liebe bestimmt meinen Wert.
- Nicht mein Reichtum -
Das macht mich unabhängig
von Geld und Besitz.

DEINE Liebe bestimmt meinen Wert.
- Nicht meine Arbeitskraft -
Deshalb hast DU den Feierabend
für mich erfunden.

DEINE Liebe bestimmt meinen Wert.
- Nicht meine Leistung -
Ich brauche mich nicht unter Druck zu setzen.

DEINE Liebe bestimmt meinen Wert.
- Nicht meine Klugheit -
Sie hilft mir nicht bei der Suche nach DIR.

DEINE Liebe bestimmt meinen Wert.
- Nicht meine Rechtgläubigkeit -
Deshalb kann ich mein Leben lang lernen.

DEINE Liebe bestimmt meinen Wert.
- Nicht meine Fehlerlosigkeit -
Ich darf Fehler zugeben und um Vergebung bitten

DEINE Liebe bestimmt meinen Wert.
- Nicht meine Gesundheit -
Nur wenn ich schwach bin,
erwarte ich Hilfe von DIR.

DEINE Liebe bestimmt meinen Wert.
- Nicht die Liebe von Menschen -
Ihre Ablehnung oder Zuneigung dürfen mich
weder zerbrechen noch stolz machen.

DEINE Liebe bestimmt meinen Wert.
- Nicht die Liebe, die ich verschenke -
Deshalb kann ich ehrlich vor DIR sein.

DEINE Liebe bestimmt meinen Wert.
Sie befreit mich von allen Zwängen.
Und ich habe nichts, womit ich DIR danken kann.
- Nur meine Liebe. -

Wind

Sehen kann ich. Oder nicht?
Natürlich kann ich dich sehen.
Das Schwanken der Zweige oder der Ähren,
die Windmühle dreht sich, der Drachen steigt.
Die Gardine weht, die Fahne flattert,
die Wäsche reißt an der Leine.
Alles ist in Bewegung.
Und ich freue mich, dass ich sehen kann.

Hören kann ich. Oder nicht?
Natürlich kann ich dich hören.
Das Rauschen der Blätter, das Heulen im Ofen,
das Zuschlagen eines Fensters im Zug.
Das Krachen der Äste und Zweige im Sturm,
das Klatschen der Wellen,

das Lied der Windorgel.
Alles ist in Bewegung.
Und ich freue mich, dass ich hören kann.

Spüren kann ich. Oder nicht?
Natürlich kann ich dich spüren.
Du bläst mir ins Gesicht, dass ich lachen muss
oder weinen, weil du mir Sand
in die Augen wehst.
Du kühlst die Haut, die Haare fliegen.
Den Staub bläst du mir von der Seele.
Alles ist in Bewegung.
Und ich freue mich, dass ich spüren kann.

Wissen kann ich. Oder nicht?
Natürlich kann ich von dir wissen.
Denn manchmal schläfst du, es regt sich nichts.
Alles wirkt starr und schwül, freudlos und tot.
Nichts ist zu sehen, zu hören, zu spüren
und ich befürchte,
dass du für immer gegangen bist.
Nichts ist mehr in Bewegung.
Und ich klammere mich
an Erinnerung und Wissen.

Doch du bist. Oder nicht?
Natürlich bist du. Auch wenn ich zweifle.
Plötzlich wachst du wieder auf und ich weiß:
Sehen und Hören, Spüren und Wissen,
Erinnerung, Hoffnung, Erwartung und Sehnsucht,
doch auch die Not, wenn das alles nicht trägt,
sind meine Antwort auf deine Bewegung,
mein Glaube an dich, deine Kraft, deinen Geist.

Bilder-Puzzle

Arme, die sich um mich legen.
Hände, die nach mir fassen.
Augen, die meinen liebevoll zulächeln.
Worte, die mir Mut machen, weiterzugehen.

Schmerzen, plötzlich und messerscharf.
Misstrauen, Angst und Enttäuschung.
Versagen, qualvolles Unvermögen.
Resignation vor der Menge von Leid
und Schuld.

Blumen stehen in voller Blüte.
Wachsen und reifen, wohin man auch sieht.
Vögel und Kinder, gelassen und unbeschwert.
Die Majestät der Sterne bei Nacht.

Keine Antwort auf so viele Fragen.
Keine Hilfe für so viel Not.
Keine Zeit für so viele Dinge.
Keine Kraft, das Gute zu tun.

Ein unverhofftes Geschenk im rechten Moment.
Musik, Klänge die mich bereichern.
Märchen, die von der Wahrheit reden.
Begegnungen voll Wärme und Verstehen.

Überall Bilder, und keines ist stumm.
Bunt durcheinander, alle verschieden.
Gleich einem Puzzle setze ich sie zusammen.
Versuche, ihre Botschaft zu fassen.

Längst nicht alles kann ich begreifen.
Manches Teil nehme ich nur zögernd zur Hand.
Doch das Thema des Bildes wird immer klarer:
Gott lebt. Und ER ist gut.

Zweifel

Heute morgen,
als ich DICH suchte,
fasste meine Hand ins Leere.

Ich erschrak sehr.
Gerade heute,
wo der Tag wie ein Berg vor mir lag
und ich ein Zeichen DEINER Liebe
und DEINE Kraft so nötig hatte,
da schwiegst DU.

Ist das Liebe?
Muss es wohl sein.
Auch, wenn ich es nicht verstehe.

Jetzt, am Abend,
sehe ich zurück und weiß:
DU warst da.
Neben mir.
Zwischen uns nur das Eine:
Mein Misstrauen.

Die Angst, DU könntest gegangen sein,
nur weil ich DICH nicht hörte, sah oder spürte.
Und ich erschrecke wieder:
So klein ist mein Glaube.
Schon wollen Angst und Mutlosigkeit zurück-
kommen.

Nein!
Sie sind besiegt.
Nicht von meinem kleinen Glauben.
Aber von DEINER großen Liebe.

Leben wagen

Schmerz im Magen.
Schmutz am Kragen.

Ängste jagen.
Zweifel nagen.

Viel Versagen
zu beklagen.

Kaum zu tragen
an manchen Tagen.

Doch dann hör ich sagen:
"Brauchst nicht verzagen!

ICH hab es getragen.
Nur Mut! Es wird tagen."

Die Worte verjagen
mein ängstliches Zagen.

Der Liebe erlagen
alle Klagen.

Bleiben auch Fragen;
Mit DIR will ich´s wagen!

Mauern

Unbedacht waren meine Worte,
zu schnell, zu heftig, zu selbstgerecht.
Ich habe nicht genug versucht,
dich zu verstehen,
deine Meinung achtlos zur Seite gewischt.

Doch du weißt nicht,
dass ich die Hand nach dir ausstrecke.
Denn zwischen uns steht meine Schuld.

Deine Meinung über mich steht fest.
Keine Gelegenheit lässt du mir, sie zu ändern.
Du misstraust meinen ehrlichen Bemühungen.
Und jedes Versagen von mir
bestätigt nur dein Urteil.

Doch du weißt nicht,
dass ich die Hand nach dir ausstrecke.
Denn zwischen uns steht deine Schuld.

Dabei möchte ich so gern feiern
das Fest der Versöhnung,
gemeinsam mit dir.
Ich möchte noch einmal am Anfang stehen;
frei sein von Misstrauen, Verletzung und Trotz.

Doch ich weiß nicht,
ob du die Hand nach mir ausstreckst.
Denn zwischen uns steht unsere Schuld.

Erbarme dich, der du die Schuld besiegt!
Lass nicht zu,
dass sie uns trennt und entfremdet.
Gib uns Mut, aufeinander zuzugehen,
Vergebung empfangen und schenken.

Weil du die Hände nach uns ausstreckst,
strecken wir sie auch nacheinander aus,
und besiegen so unsere Schuld.

Liebe

Umsonst gehofft -
Du hast nichts gemerkt.

Umsonst gewartet -
Du bist nicht gekommen.

Umsonst gelockt -
Du hast nicht geantwortet.

Umsonst gerufen -
Du hast nicht gehört.

Umsonst geschmückt -
Du hast nichts gesehen.

Umsonst gedrängt -
Du bist ausgewichen.

Umsonst gesehnt -
Es ist dir nicht wichtig gewesen.

Umsonst geliebt -
Es hat nur geschmerzt.

Umsonst?

"Nun aber bleiben Glaube, Hoffnung, Liebe,
diese drei;
aber die Liebe ist die größte unter ihnen."
1. Korinther 13,13

Gott mit uns

DU nimmst mich an, so wie ich bin.
Immer wieder.
Auf mein Wort, meine Bitte hin. Ohne Verdienst.
Immer wieder.
DU vergibst. Ohne Sicherheit fängst DU neu
mit mir an.
Immer wieder.
Und weißt doch, ich falle. Ich enttäusche DICH
immer wieder.

Doch ich bin sauer, wenn man mich enttäuscht.
Immer wieder.
Bin ohne Kraft, neu zu beginnen.
Immer wieder.
Ich zähle die Wunden und wiege den Schmerz.
Immer wieder
bin ich versucht, mich zurückzunehmen.
Immer wieder

Vater, ich brauche DEINE Kraft, DEINE Liebe.
Immer wieder.
Will nicht resignieren,
sondern die Hände ausstrecken.
Immer wieder.
Lieben will ich, hoffen und beten, ohne Ende.
Immer wieder
vertrauen, dass DU veränderst und heilst.
Immer wieder.

Heilung

Ausgeliefert
deiner Freundlichkeit,
deinem bedingungslosen Vertrauen,
deiner Liebe,
Geduld und Güte

stirbt langsam
mein Stolz,
vergeht meine Angst.
Es schmilzt das Misstrauen
gegen mich und die anderen.

Zwischen
Verzweiflung und Schmerzen
wird es geboren:
Zärtlich und heiter,
geliebt und schwach.

Unbegreiflich:
Das soll ich sein?
Staunend suche ich
deine Augen,
lache dir dann ins Gesicht.

Königskinder!
Ist es Traum oder Wirklichkeit?
Du bist schön,
ich bin schön
und schön ist das Leben!

sinfonie des lebens

die ganze schöpfung
atmet musik

harmonie und wohlklang
hüllen uns ein

singend steigt
die lerche auf

die bäume
gleichen namens

wiegen
zartgrüne zweige

im mächtigen chor
erklingt jede stimme

vereint singt alles
ein jubelndes lied

wach auf, mein herz,
und lausche dem klingen

erkennst du sie
die melodie?

Dann beug dich
und schlage im takt

Erfüllung

Atemlos
vom Suchen

einander
in die Arme sinken.

Sich
finden

im Erkennen,
im Sein.

Und tief
atmet jeder

das Glück
des anderen

Ein und aus.
Aus und ein.

Wir

aufeinander hörend (lauschend, achtend)
nacheinander suchend
aneinander glaubend (dienend)
füreinander dankend

zueinander haltend
voneinander lernend
miteinander lebend
heimisch beieinander

nebeneinander bleibend
ineinander verwoben
übereinander staunend
umeinander wissend

untereinander verbunden
durcheinander beschenkt
voreinander ehrlich und frei
nicht denkbar ohne einander

Aufgeblüht

Gebetet habe ich schon immer.
Doch nicht so wie jetzt.

Gekannt habe ich DICH schon immer.
Doch nicht so wie jetzt.

Gelacht habe ich schon immer.
Doch nicht so wie jetzt.

Gelitten habe ich schon immer.
Doch nicht so wie jetzt.

Geliebt habe ich schon immer.
Doch nicht so wie jetzt.

Gebraucht habe ich DICH schon immer.
Doch nicht so wie jetzt.

Gelebt habe ich schon immer.
Doch nicht so wie jetzt.

Gedankt habe ich DIR schon immer.
Doch nie so wie jetzt.

Sterntaler

Herz und Füße
tanzen um die Wette
mit den Schneeflocken.

Im Lampenlicht
sehen sie aus
wie Sternschnuppen.

Wie ein riesiger
Meteoritenschwarm
hüllen sie mich ein.

Ob ich sie,
so wie früher als Kind,
mit der Zunge auffangen kann?

Tatsächlich.
Und sie schmecken noch immer
nach Leben, Schönheit und Lachen.

Komm, wenn du frierst,
damit ich den Reichtum
mit dir teilen kann.

Denn nur dann
wird meine Freude
vollkommen sein.

Plötzlich und unerwartet

Tiefes Erschrecken.
Schmerzlichste Betroffenheit.

Wir dachten doch immer:
Es ist noch Zeit.

Und jetzt?

So viel Verwirrung,
Aufbäumen und Klagen.

Hätte ich doch ...
Könnte ich noch ...

Vorbei.

Wohin nun mit Liebe,
Wünschen und Träumen?

Woher kommt Trost?
Wer stillt den Sturm?

Hilf uns,

Gott der Lebenden
und der Toten;

schenk' Frieden, Herr,
erbarme DICH doch!

Er verwandelt den Sturm in Stille.
Psalm 107,2

Sehnsucht

Ein Berg liegt schwer auf meiner Brust.
Er quält und schmerzt und treibt mich um.
Ich schließ' mich zu, werd' starr und stumm
und nichts hilft gegen diesen Frust.

Kein Arbeitsberg, kein neues Kleid,
kein Fernsehfilm, kein schönes Essen
lassen den Kummer mich vergessen,
bringen zurück die Fröhlichkeit.

Ein Anruf wär' schon eher was.
Doch welche Nummer soll ich wählen?
Und wie find' ich Worte für all die Querelen?
Es ist wohl besser, ich lasse das.

Gott scheint weit weg und Trost ist fern.
Ich falte ratlos meine Hände.
Ach, dass der Herr mich doch jetzt fände;
in seinem Zelt wär' ich so gern.

Trost

Ich finde heim
in der Stille,

ruhe und weine
in DEINEN Armen;

spüre DEINEN Blick,
den warmen;

beug mich und sage:
Es geschehe DEIN Wille.

Allem zum Trotze
fasse ich Mut,

weiß mich verstanden,
geliebt und geborgen;

gebe hin meine Schmerzen,
Fragen und Sorgen.

DU bist ja Herr.
Und DU bist gut.

Trotzdem

Trotz der Runzeln und der Narben
ein Kleid anzieh´n mit bunten Farben,

trotz Enttäuschung und trotz Schmerz
die Augen richten himmelwärts.

In einer Sommernacht
wo alles schwatzt und lacht

unbekümmert ob der Blicke,
die sagen woll´n, dass sich´s nicht schicke

dem Leben ein Ständchen bringen
und von der Liebe singen.

Mit Rosen im Arm,
einem Herzen so warm

feiern ein "Trotzdem - Fest"
weil Gott uns leben lässt

und das Leben köstlich ist,
weil ER uns liebt und nie vergisst.

Erwartung

Nebel
hüllt die Berge ein;
Nebel
bedrängt mein Gemüt.

Doch ich ahne sie
und ihre Schönheit;
mein Herz
schlägt ihnen entgegen.

Zaghaftes Hoffen,
tastendes Verlangen -
von DIR geweckt,
machst DU nun fest.

Ich weiß,
DU reißt den Himmel auf
zu seiner Zeit
und zu DEINER.

Dann werde ich sehen
wie DU mich längst siehst
und werde
anbeten im Licht.

Gebet in G - Dur

Sei gegrüßt, Du Gott meines Lebens und Geber aller Gaben. Deine Gegenwart ist das große Geheimnis meines Lebens.

Du hast mich geschaffen. Schon vor meiner Geburt hast Du von mir gewusst, nach mir gefragt, mich gekannt, gewollt und geliebt. Jede Gelegenheit hast Du genutzt und mir Gutes getan, gemäß Deiner gigantischen Liebe. Du hast mich getragen, geführt, getröstet, gewärmt, gestützt und geheilt. Geduldig hast Du um mich geworben, auf mich gewartet, nach mir gesucht. Nie hast Du Gewalt angewendet. Aber immer hast Du mich gelockt, gerufen und mir gedient.

Gerade weil Du mich nie gedrängt hast, kann ich Dir glauben. Deine Güte hat mich besiegt. Ganz und gar hast Du mich für Dich gewonnen und es gilt:

Deine Gegenwart macht mich glücklich. Weil ich bei Dir geborgen bin, habe ich keine Angst vor Gefahr. Meine Augen glänzen und mein Gesicht glüht, weil Du greifbar geworden bist. Durch Deinen Geist, Dein größtes Geschenk, gestaltest Du mich.

Ich gehöre Dir, bin Dein Geschöpf: gereinigt, geheiligt, gesegnet.

Aus Gnade hast Du mich gerecht gesprochen. An der Gemeinschaft und dem Gespräch mit Dir habe ich Geschmack gefunden. Deine Gebote und Gesetze gefallen mir. Es gibt keinen Grund, sich gegen Dich zu stellen. Das weiß ich genau.

So gern möchte ich Dir etwas geben. Meinen Gehorsam, meinen Glauben? Meine Gebete, mein Geld, meinen Gesang, meine Gedichte? Nichts ist genug. Alles scheint mir viel zu gering. Ich kann nur danken, gemeinsam mit der Gemeinde der Gläubigen. Und ich bitte Dich: Nimm mich ganz, so wie Du Dich ganz gegeben hast. Du bist gestern mit mir gegangen, bist mein Gegenüber in der Gegenwart. Du garantierst mir die Zukunft und ich bin gespannt darauf.

Sei gepriesen, sei gegrüßt, Du Gott der Geschichte, Gott, der uns zu Geliebten macht, zu Gewinnern, zu Gefangenen Deiner Güte.

Sei gepriesen, sei gegrüßt, Du großer, guter, geliebter Gott.

Gott erhört Gebet

So oft ich auch zu DIR komme,
Immer wieder gibst DU.
Mit Freuden beschenkst DU mich und andere.
Ohne Worte verstehst DU.
Nie vergisst DU auch nur eine meiner Bitten,
Erfüllst sie alle zu DEINER Zeit.

Sämtliche Gedanken bringe ich vor DICH.
Inmitten des Durcheinanders verstehst DU mich
Mühelos und erfüllst meine Sehnsucht.
Offenbar kennst DU mich durch und durch.
Niederfallen will ich und DIR danken.
Endlos, ewig, ehrfurchtsvoll.

So viel ich auch von DIR erwarte,
Immer hast DU noch mehr.
Mein Vertrauen belohnst DU
Oft mehr, als ich es fassen kann.
Nur ein Staunen bleibt.
Es ist wahr:

Gott erhört Gebet!

Eingeschlafen

wie ein Kind
am Abend
eines langen Tages.

Müdegelebt.
Satt geworden.
Still gemacht.

Dankbar
hielten wir
deine Hand;

sahen,
wie dir langsam
die Augen zu fielen.

Gute Nacht.
Gott befohlen und -
Auf Wiedersehen.

LEBENSBILDER

1. Kapitel

Es war einmal ein kleines Mädchen, das hieß Lia.
Ihr Vater war der König der Vögel.
In seinem großen Garten wohnten so viele Vögel,
wie sonst nirgends auf der Welt.
Den ganzen Tag saß Lia auf einer Bank im
Garten ihres Vaters, und hörte den Vögeln zu.
Am schönsten war es immer am Abend.
Da kam nämlich der König selbst in seinen
Garten.
Er setzte sich zu Lia auf die Bank, legte den Arm
um sie oder nahm sie auf den Schoß.
Und gemeinsam hörten sie dann die Lieder, die
die Vögel tagsüber geübt hatten.
Leise unterhielten sich die beiden dabei.
Der König zeigte und erklärte Lia vieles von
dem, was sie umgab.
Er sagte ihr auch immer wieder, wie sehr er sie
liebte.
Manchmal sprach er davon, dass Lia einen weiten
Weg vor sich habe.
Doch Lia hörte mehr auf den sanften, liebevollen
Klang seiner Stimme, als auf den Inhalt der
Worte.

Sie genoss es einfach, dass der Vater bei ihr war und Zeit für sie hatte.

Wenn er ihr zulächelte, wusste Lia so recht, dass sie zu Hause war und nie - niemals - von hier weg wollte.

Eines Abends, als die Vögel wohl noch schöner sangen, und Lia noch weniger weg wollte als sonst, hörte sie, wie der Vater sagte: "Lia, du bist doch schon ein großes Mädchen. Möchtest du nicht einmal einen Weg für mich gehen?"

"Nein!" Energisch schüttelte Lia ihren Kopf, warf die Arme um den Hals des Königs und drückte sich an ihn. "Ich gehe nirgendwo hin. Ich bleibe bei dir!"

Der König hielt Lia ganz fest. "Es freut mich, dass du mich so lieb hast", antwortete er. "Trotzdem möchte ich, dass du dich auf den Weg in eins meiner Länder machst. Es ist ein schönes Land und ich liebe es sehr. Dir wird es auch gefallen. Da bin ich ganz sicher. Allerdings sollst du wissen, dass dort mein Feind Macht bekommen hat. Er tut alles, um die Bewohner des Landes von mir zu trennen. Eigentlich waren sie alle verloren. Doch ich selbst habe dafür gesorgt, dass sie zu mir zurückkommen können. Du brauchst also keine Angst zu haben. Wenn du nur willst, wirst du eines Tages wieder hier bei mir sein. Das verspreche ich dir."

Erschrocken hörte Lia zu. Sie war noch nicht überzeugt. "Aber ich werde Sehnsucht haben," wandte sie ein. "Nach dir, dem Garten, den Vögeln und ihren Liedern. Und schrecklich allein werde ich sein. Den Weg weiß ich auch nicht. Bestimmt werde ich mich verlaufen. Und dann sehe ich dich nie wieder!"

Der Vater schüttelte den Kopf. "So schlimm wird es nicht", tröstete er." Ich gebe dir jemanden mit, auf den du dich verlassen kannst. Er soll dich führen und an mich erinnern. Außerdem wird deine Sehnsucht nach mir dich vor falschen Entscheidungen beschützen. Achte darauf, dass du sie dir bewahrst. Und dann das Wichtigste: Egal, wo du bist, wenn du nach mir rufst, werde ich dich hören. Und ich werde Mittel und Wege finden, dich zu erreichen. Verlass dich auf mich. Dann bist du niemals allein."

Während dieses Gespräches gingen die beiden durch den Garten. Ganz hinten war eine Tür. Dort blieb der Vater stehen.
"Hier beginnt dein Weg. Und hier werde ich auf dich warten, bis du zurückkommst.

Vergiss das nicht, Lia. Und grüße alle, die dir auf dem Weg begegnen von mir. Das soll euch immer wieder an mich erinnern."

Dann streckte der König seine Hand aus. Ein ganz kleiner, bunter Vogel setzte sich darauf. Vorsichtig strich er ihm mit dem Finger über das Gefieder und setzte ihn dann auf Lias Schulter. "Hier hast du deinen Begleiter. Er wird dich führen und trösten. Er wird dafür sorgen, dass du nicht allein bist und deine Sehnsucht nach mir wach halten. Du musst ihn jeden Tag füttern und gut für ihn sorgen. Wenn du auf ihn hörst, wirst du geschützt sein. Und nun ist es Zeit. Behalte mich lieb. Und vergiss nicht, dass ich auf dich warte."

Damit schob der König Lia durch die Tür.

Nun stand Lia am Anfang eines langen Weges. Der Vater war nicht mehr zu sehen. Das machte sie traurig. Schon kullerten die ersten Tränen. Doch da begann der kleine Vogel auf ihrer Schulter leise zu singen. Lia horchte auf. Das Lied kannte sie doch. Leise summte sie mit. Und nach einer Weile war sie wieder ganz fröhlich. "Was bist du doch für ein lieber, kleiner Freund" sagte sie zärtlich zu dem Vögelchen. "Du erinnerst mich an den Vater und tröstest mich, genau wie er es gesagt hat. Was hat er denn noch gesagt? Richtig. Dass du mich führen wirst. Wollen wir jetzt gehen?"

Da flatterte der kleine Vogel von ihrer Schulter und flog den Weg entlang. Lia lief ihm nach und lachte: "Das macht Spaß. Warte nur, wenn ich dich einhole." Aber so leicht war der Vogel nicht zu fangen. Immer wieder entwischte er Lias kleinen Händen. Doch sie ließ sich nicht entmutigen, versuchte es immer wieder neu und merkte dabei gar nicht, was für einen langen Weg sie zurücklegten.

Endlich kamen sie an ein Haus. Schnur stracks flog der Vogel darauf zu, setzte sich aufs Dach und begann zu singen. Plötzlich merkte Lia, wie erschöpft sie war. Mit letzter Kraft schleppte sie sich zur Tür. Gerade, als sie sich auf die Schwelle sinken lassen wollte, wurde die Tür geöffnet. Ein Mann und eine Frau standen da und sahen sie liebevoll an. "Wir haben schon auf dich gewartet" sagte die Frau und nahm Lia in die Arme. Als sie sah, wie müde das Mädchen war, trug sie es gleich zu einem frisch bezogenen Bett, legte es hinein und deckte es mit einer warmen Decke zu.
Lia schlief sofort ein. Das letzte, was sie hörte, war ihr Vogel. Er saß vor dem offenen Fenster und sang. Sein Lied begleitete sie in ihren Träumen.

2. Kapitel

Mit der Zeit wurde Lia größer und älter. Sie merkte, dass es mehr gab als das Haus mit seinem Garten und seinen Bewohnern. Oft ging sie durch eine Tür im Gartenzaun. Was gab es da nicht alles zu entdecken. Lia sah sich um und staunte. So groß war das Land. Und so schön. Sie wollte es kennen lernen. Das stand fest.

Dann kam der Tag, an dem Lia aus dem Haus, in dem sie so lange gewohnt hatte, auszog. Bei Sonnenschein und warmem Wind stieg sie auf ihr Moped. In vollen Zügen genoss sie die Fahrt. Lange.

Doch dann schlug das Wetter plötzlich um. Sturm kam auf. Es wurde dunkel und ungemütlich kalt. Das, was sich da am Himmel zusammen-braute, sah nach einem gewaltigen Unwetter aus. Und ehe Lia sich versah, waren sie schon mittendrin.
Eiskalter Regen schlug ihr entgegen, so dass sie kaum noch etwas sehen konnte. Im Nu war sie bis auf die Haut durchnässt. Mit steifgefrorenen Händen mühte sie sich, das Moped zu steuern.

Immer schwerer wurde ihr das, da der Weg inzwischen schmal und holperig geworden war. Tiefer Sand und große Steine, war das überhaupt noch ein Weg? Es schien nur eine Frage der Zeit, bis ihr der Lenker aus der Hand schlug. Und dann?

"Ich werde fallen und nicht wieder aufstehen" dachte Lia. Trotzdem konnte sie nicht anhalten oder umkehren. Sie konnte nur eins: Weiterfahren. Immer weiter.

Doch Lia stürzte nicht. Zitternd und weinend fuhr sie immer weiter geradeaus. Sie wusste nicht, wie lange. Irgendwann bog der Weg ab. Lia fuhr um die Kurve und staunte. Von einem Moment auf den anderen war alles anders. Wolken, Kälte, Regen und Sturm waren verschwunden. Der Weg war zu Ende. Sie war am Meer.

Mit einem Blick erfasste Lia die Veränderung, den Frieden, den Sonnenschein, das glitzernde Wasser. Und auf dem Wasser - ein Segelschiff. An der Reling des Schiffes sah sie viele Menschen. Sie schauten zu ihr, riefen und winkten.

Lia ließ ihr Moped fallen. Mit ausgebreiteten Armen lief sie auf das Schiff zu, auf die Menschen. Als sie an Bord kam, war es, als käme sie nach Hause.

Kein Gedanke mehr an die Strapazen des Weges, an die Tränen, den Kummer, die Verzweiflung. Hier war sie geborgen. Hier wollte sie sein. Vorerst jedenfalls. Bis sie sich erholt hatte. Und dann? Nun, das würde sie entscheiden, wenn es soweit war.

3. Kapitel

Lia blieb am Meer. Sie zog in ein großes Haus voller Leben. Familie, Freunde, Nachbarn und Besucher fanden Platz in diesem Haus und an seinem Herd. Sie liebte dieses Gewimmel, das Miteinander und die Gemeinschaft. Und sie liebte es, durch die Hintertür des Hauses an den Strand zu laufen. Bei Ebbe unternahm sie lange, einsame Wattwanderungen. Bei Flut badete sie gemeinsam mit vielen anderen in dem unvergleichlich klaren und warmen Wasser des Meeres. Dieses Wasser hatte heilende Wirkung und im Sonnenlicht glitzerte es wie Kristall. Es weckte und nährte eine Sehnsucht in Lia nach etwas oder jemanden hinter diesem Meer. Es war wie ein Ruf, dem sie sich nicht entziehen konnte. Aber sie wusste auch nicht, wie sie ihm folgen sollte.

Sie hatte kein Schiff. Und sie konnte sich doch unmöglich ins Wasser stürzen und einfach drauflos schwimmen. Oder doch?

Durch eine andere Tür des Hauses, in dem Lia wohnte, kam sie auf einen Bahnhof. Hier kamen die Menschen an, die ans Meer wollten. Und von hier brach Lia auf. Immer wieder.

Manchmal lag der Weg breit und einladend vor ihr. Er führte durch beschauliche kleine Dörfer und durch Städte mit Kaufhäusern und breiten Straßen, auf denen die Autos nur so dahin rasten. "Möglichst schnell, möglichst viel" und "Hauptsache ich" schien hier die Devise zu heißen.

Dann wieder ging es vorbei an grünen Wiesen und bunten Blumen, aber auch an Zäunen verschiedenster Art.

Ein andermal war der Weg kaum noch als solcher zu erkennen. Schwitzend und halb verdurstet quälte sich Lia durch den heißen Sand der Wüste.

Oder sie zwängte sich blutend durch eine fast undurchdringliche Hecke mit spitzen Dornen.

Es gab lange, finstere Tunnel mit feuchter, modriger Luft. Hier war jeder Atemzug giftig. Aber es gab auch Türen, durch die man nach draußen treten konnte. Was für ein Geschenk, durch so eine Tür zu gehen und die klare, warme Luft einer Sommernacht zu atmen.

Einmal wanderte Lia durch eine enge, glitschige und dunkle Schlucht, an deren Ende eine nicht enden wollende Leiter nach oben führte.

Als sie endlich oben war, konnte sie weit über das Land sehen. Und sie sah einen gefährlich schmalen Weg vor sich, der nach rechts und links steil abfiel.

Immer wieder kam Lia auf ihrem Weg in schwierige Situationen. Immer wieder hatte sie das Gefühl, am Ende zu sein, nicht weiter zu können. Angst und Einsamkeit, Hunger, Durst und Kälte machten ihr zu schaffen. Sie fiel hin, wurde enttäuscht und verletzt. Immer wieder. Und immer wieder war sie am Ende ihrer Kraft, zu Tode erschöpft.

Doch da war auch das andere. Etwas, das gleichzeitig zart und drängend, lieblich und schmerzvoll, selbstverständlich und geheimnisvoll war. Immer war es ihr nah. Und immer wieder half es ihr auf die Beine. Lia konnte es sehen, hören, schmecken und fühlen. Aber jedes mal, wenn sie danach griff um es zu untersuchen, zu verstehen oder zu erklären, dann zerrann es zwischen ihren Händen. Und war doch nicht verschwunden, sondern entstand im selben Moment neu. Und alt. Umarmen ließ es sich, aber nicht festhalten. Es war in ihr. Doch es gehörte ihr nicht.

Wenn Lia auf ihrem Weg Menschen traf, dann versuchte sie, darüber zu reden. Das war schwer. Denn wie kann man über etwas reden, dass man nicht verstehen, erklären und festhalten kann? Trotzdem liebte Lia diese Gespräche vom Meer, vom Weg und von dem, was so schwer in Worte zu fassen war. Und sie liebte die Menschen, mit denen sie sprach. Oft verstanden sie sich nicht. Dann war Lia traurig, zog sich zurück. Doch sie versuchte es immer wieder: das Hinhören und das Reden; das Einladen zum Miteinander und zum Meer.

Und manchmal geschah es dann, dass Verstehen und Miteinander möglich wurden, dass sie plötzlich hereinbrachen. Wie Meereswellen bei Sturm oder die Sonne danach. Dann war Lia glücklich. Sehr glücklich sogar.

4. Kapitel

Trotzdem zog es Lia immer wieder zurück zum Meer. Dann kam sie auf demselben Bahnhof an, von dem sie aufgebrochen war. Sie ging durch die Tür ins Haus und begrüßte ihre Freunde. Sie nahm ihre einsamen Wattwanderungen wieder auf und badete im Meer. An den Abenden aber stand sie am Fenster und blickte über das Wasser. Je dunkler und leiser es um sie wurde, umso deutlicher hörte und spürte sie, dass jemand nach ihr rief.

Eines abends schien die Stimme besonders drängend zu sein. Lia kletterte auf das Fensterbrett. Mit beiden Händen klammerte sie sich fest und lauschte. Wie üblich schien die Stimme gleichzeitig von der anderen Seite des Meeres und aus ihrem eigenen Herzen zu kommen. Und sie weckte ein schmerzhaftes Echo aus Sehnsucht, Unsicherheit und vielen Fragen in ihr.

Es gab nichts, was sie lieber getan hätte, als der Stimme zu antworten, ihr zu folgen. Wenn sie nur gewusst hätte, wie. Ob sie sich einfach ins Wasser fallen lassen sollte und dann schwimmen? Prüfend blickte Lia nach unten und erschrak. Zwischen Haus und Meer befand sich ein breiter und sehr tiefer Graben. Seltsam, dass er ihr am Tag nie aufgefallen war. Mit den Augen schätzte sie die Entfernung ab. Nein, da war keine Möglichkeit. Beim Versuch, ihn zu überspringen, würde sie unweigerlich hineinfallen. Und dann?

Plötzlich hörte Lia hinter sich eine Stimme. Tief und voll klang sie, laut und wohltönend, wie eine Glocke. Sie wandte sich um und sah einen Mann an der Tür ihres Zimmers stehen. Er hatte eine lange, braune Kutte an, die seine Gestalt völlig verhüllte und an den Hüften mit einem einfachen Strick zusammengehalten wurde. Sein Gesicht lag im Schatten der Kapuze. Das, was Lia davon erkennen konnte, wirkte hager und knochig, aber auch kraftvoll und stark. Ernst sah er sie an und sagte: "Tochter Lia, wo bleibst du? Hast du den Ruf nicht gehört?" Dann drehte er sich um und ging.
Blitzschnell sprang Lia vom Fensterbrett ins Zimmer und folgte ihm.

Sie kamen in ein riesiges Treppenhaus und stiegen abwärts. Von überall sah Lia jetzt Menschen in braunen Kutten kommen. In Gruppen von fünf bis zehn Menschen liefen sie hintereinander her und stiegen schweigend die breiten Stufen hinab.

Lange.

Dann traten sie aus einer Tür und waren -

- am Meer.

Lia sah Kanus auf dem schmalen Sandstrand liegen. Jede Gruppe ging zu einem von ihnen. Hintereinander, wie sie gelaufen waren, stiegen sie ein, setzten sich und legten ab. Obwohl niemand sprach, schien doch jeder genau zu wissen, was er zu tun hatte.

Lia war aufgeregt und voller Fragen. Doch gleichzeitig war sie seltsam still und gelassen. "Endlich" dachte sie. "Endlich ein Weg über das Meer." Sie dachte an die Stimme, die sie gerufen hatte und spürte wieder die brennende Sehnsucht, ihr zu folgen. Prüfend betrachtete sie den Rücken des Mannes vor sich. Wer war er? War er ein Bote dessen, der sie gerufen hatte? Würde er sie zu dem Rufer bringen? Kannte er den Weg? Welches war wohl ihr Boot? Und wie viele Leute gehörten eigentlich zu ihrer Gruppe? Fragen über Fragen.

Doch da waren sie schon am Boot angelangt. Der geheimnisvolle Führer drehte sich um und sah sie an. "Komm" sagte er und streckte die Hand aus, um ihr beim Einsteigen zu helfen.

Und Lia stieg in das Boot.
Gespannt wartete sie auf das, was kommen würde...

Spiegelbilder

Manchmal
fallen mir Worte ein.
Leicht, fast mühelos
reihen sie sich aneinander.
Sie malen das Bild,
das sich in meiner Seele spiegelt.

Manchmal
ringe ich um Worte.
Ich suche, verwerfe und kämpfe.
Doch ich schaffe es nicht
und mir zerrinnt das Bild,
das sich in meiner Seele spiegelte.

Doch ich warte darauf,
dass ich es wiederfinde.
Neu; noch tiefer und klarer.
Vielleicht gelingt es mir dann,
das Bild einzufangen,
das sich in meiner Seele spiegeln wird.

Schlusslied

Mir hast DU DICH versprochen
für Zeit und Ewigkeit;
hast nie DEIN Wort gebrochen,
warst selbst zum Tod bereit.

Bevor mein kleines Leben
im Zeitenlauf begann,
hast DU DICH hingegeben,
damit ich kommen kann.

Mit immertreuem Lieben
hast DU mein Herz berührt.
Da ist mir nichts geblieben
als das, was mir gebührt:

Zu lieben und zu loben,
an DIR mich zu erfreu´n,
hier unten und dort oben
für immer DEIN zu sein.

Simone Grünig

Worte zum Leben

Reflexionen

Erstausgabe: November 2004

ISBN der Einzelausgabe: 978-3-8334-1923-2

82

Inhalt

(Die in Klammern stehenden Seitenzahlen sind der Einzelausgabe entnommen.)

Zur Einleitung	(7)	85
Das Wort	(9)	87
Sprich mit mir	(10)	88
Übersetzen	(12)	90
Unterwegs	(13)	91
Selbstfindung	(14)	92
Ich	(15)	93
DU	(16)	94
Sehn-Suche	(17)	95
Gefunden 1	(18)	96
Gefunden 2	(19)	97
Alphabet 1	(20)	98
Alphabet 2	(21)	99
Fast ohne Worte	(22)	100
Heimat	(23)	101
Ostern 1	(24)	102
Aufbruch (oder Ostern 2)	(26)	104
Ostern 3	(28)	106
Hirtenlied	(29)	107
Vater-Land	(30)	108
Himmelskönig	(32)	110
Leben	(33)	111
Versprechen	(34)	112
Frühlingserwachen	(36)	114
Gespräch	(37)	115

Ver(w)irrt			(38)	116
Abschied			(39)	117
Zornig			(40)	118
Zuspruch			(41)	119
Shalom			(42)	120
Reichtum			(46)	124
Fürbitte			(48)	126
Ach, DU liebe Güte			(50)	128
Unbeschreiblicher			(52)	130
Bezahlt			(54)	132
Philosophie			(55)	133
Am Abend			(56)	134
Shabbat			(57)	135
Lebensbilder	Kapitel	5	(58)	136
	Kapitel	6	(60)	138
	Kapitel	7	(63)	141
	Kapitel	8	(67)	145
	Kapitel	9	(71)	149
	Kapitel	10	(73)	151
	Kapitel	11	(76)	154
	Kapitel	12	(79)	157
	Kapitel	13	(81)	159
Geborgenheit			(84)	162

Zur Einleitung

„Am Anfang war das Wort, und das Wort war bei Gott, und Gott war das Wort. Dasselbe war im Anfang bei Gott. Alle Dinge sind durch dasselbe gemacht, und ohne dasselbe ist nichts gemacht, was gemacht ist. In ihm war das Leben, und das Leben war das Licht der Menschen."

Johannes 1, 1-4

Eine Lehrerin bekam ein Exemplar meines Buches „Worte wie Bilder" in die Hand. Es gefiel ihr so gut, dass sie beschloss, es ihren Schülern zu zeigen. Als ich davon hörte, wollte ich natürlich wissen, wie die Unterrichtsstunde verlaufen war. Da erzählte sie mir, dass sie das Einleitungsgedicht „Worte" behandelt hatten, aus dem ja auch der Titel des Buches stammt. In diesem Gedicht versuchte ich zu formulieren, was meine geschriebenen Worte für mich bedeuten und wie ich sie verstanden wissen möchte. Dabei verglich ich sie mit Vögeln, Blumen, Kindern, ausgestreckten Händen und eben auch mit Bildern. Das hatten sie herausgearbeitet. Doch sie waren noch weiter gegangen. Mit vielen weiteren Begriffen und Bildern hatten sie auszudrücken versucht, was Worte für jeden von uns bedeuten können.

Mit diesem Gespräch im Hinterkopf nahm ich mir das Thema „Worte" neu vor. Und ich fand, dass die Kinder recht hatten. Es verdiente eine Fortsetzung. Immer wieder sann ich darüber nach, was „Worte" für mich bedeuten. Mitten in einer Zeit der vielen, schnellen und billigen Worte entdeckte ich einen erstaunlich großen Hunger in mir. Einen Hunger nach dem Wort, nach dem lebendigen Wort voller Herrlichkeit, Gnade und Wahrheit. (nach Johannes 1, 14)

„Der Mensch lebt nicht vom Brot allein, sondern von einem jeden Wort, das aus dem Mund Gottes geht."

(Matthäus 4,4)

Ich hoffe, dass in diesem Buch etwas davon deutlich wird. In vielem ist es die Fortsetzung des vorangegangenen Buches „Worte wie Bilder". Alle, die der Meinung waren, dass die Geschichte der kleinen Lia noch nicht zu Ende sein dürfe, können sich freuen. Hier kommen Lias neue Abenteuer. Und außerdem noch viele neue „Worte". Damit meine ich Antworten, Gebete, Gedichte, Lieder und Meditationen. Sie stehen alle unter dem Thema: Leben heißt unterwegs sein – und im Gespräch. Womit ich wieder bei den Worten wäre.

Das Wort

Erschrocken vor seiner Kraft
Erschlagen von seinem Gewicht
Beschämt über alle eigenen Worte

Entsetzt über seine Bedingungslosigkeit
Fassungslos gegenüber seiner Größe und Tiefe

Betroffen von seinem Ernst
Ergriffen von seiner Wärme
Gefesselt von seiner Autorität
Erstaunt über seine Vertrautheit
Fasziniert von seiner Schönheit
Überwältigt von seiner Wahrheit
Erträglich nur, weil es Liebe ist

Gedemütigt, gereinigt, weggerissen, überrollt
von der Macht und Gewalt DEINES Wortes

Wer bin ich, dass DU DEIN Wort an mich
richtest?

Sprich mit mir

Du denkst,
dass ich weiß.
Doch ich weiß nicht.

Oder denke nur ich,
dass du denkst,
ich weiß?

Und sollte ich wissen,
weiß ich es nicht.

Denn ich weiß nicht,
dass ich weiß.

Und ich weiß nicht,
ob du denkst,

dass ich weiß,
was ich weiß

und dass ich weiß,
was du denkst.

Doch ich denke,
dass du weißt,

dass ich denke,
dass du denkst,
dass ich weiß.

Übersetzen

Jedes mal
wenn ich versuche
dir zu sagen,
wer ich bin,
was ich empfinde,
mir wünsche und erträume
und was du
für mich bist;

Ist mir,
als müsste ich
meine Worte
- Kindern gleich -
auf einer stark
Reparatur bedürftigen,
wild schaukelnden Brücke
zu dir schicken.

Hoffend,
dass sie dich erreichen
und dass du verstehst.
Unmöglich?
Das will ich nicht glauben.
Es ist doch
der einzige Weg.

Unterwegs

Gekommen, um wieder zu gehen;
Ausgepackt, um wieder einzupacken;
Gewachsene Beziehungen losgelassen,
zwischen Freundschaften
Entfernungen gelegt.
Kinder begleitet,
um sie allein weiterzuschicken,
Abschied, der sich ständig wiederholt.

Stationen auf dem Weg, jede geliebt,
und doch immer wieder aufgebrochen,
weitergegangen, dem Ziel entgegen.
Heimatlos – oder überall ein Stück Heimat?
Wo gehöre ich hin?
Unterwegs – wie lange noch?

Ich will nach Hause.

Selbstfindung

Auf der Suche
nach mir
lege ich ab

meinen Besitz,
mein Wissen,
mein Können,

meinen Stolz,
meine Stärke,
meine Eigenständigkeit.

Ich finde
meine Sehnsucht,
meine Unvollkommenheit,

meine Verletzlichkeit,
meine Abhängigkeit,
meine Fragen und Träume.

Erschrocken
flüchte ich damit
zu DIR.

Ich

Geliebt, doch nicht verstanden.
Gebraucht, trotzdem allein.
Verschenkt, was ich nie besessen.
Mittendrin, doch unerkannt.

Alle getäuscht, auch mich selbst.
Versteckt im äußersten Winkel.
Gefunden von DIR und heil gemacht.
Niedergerissen die Mauern.

DU hattest verstanden.
Nie war ich allein.
Wie gut DU mich erkannt hast.
Ich danke DIR.

DU

Alles Suchen ist ein Suchen nach DIR.
Die Antwort auf alle Fragen bist DU.
Alles Hoffen ist ein Hoffen auf DICH.
Alle Sehnsucht wird stille bei DIR.

Aller Kummer gilt der Trennung von DIR.
Das Ziel jeder Regung bist DU.
Alle Freude ist Freude über DICH.
All meine Liebe gilt DIR.

Sehn-Suche

Ich suche DICH mit meiner Sehnsucht
Ich suche DICH mit meinem Schmerz
Ich suche DICH mit meinen Zweifeln
Will nur das Eine: An DEIN Herz

Ich such nach DIR mit meinen Tränen
Kämpf mich durch Nöte, Qual und Schuld
Verlang nach nichts, als DEINER Nähe
Erwarte DICH mit Ungeduld

Mit allen Fasern, allen Sinnen
Will ich DICH fassen, atmen, trinken
Mit allem, was ich hab und bin
Durchdrungen sein, in DIR versinken

DIR will ich leben und auch sterben
DEIN Werben findet mich bereit
DEIN war und bin und bleibe ich
Für alle Zeit und Ewigkeit

Gefunden (1)

Unter allem Irrtum, Versagen
und Unvermögen
DU
Hinter allem Missverstehen
DU
Inmitten aller Enttäuschungen,
Wunden und Schmerzen
DU
Trotz allen Schweigens,
aller Zweifel und Fragen
DU

DU
DU
Immer nur
DU

Ich lieb DICH
Ich weiß um DICH
Ich will DICH
DU

Gefunden (2)

Ich greife nach DIR
Und DU lässt DICH fassen

Ich rufe
Und DU antwortest mir

Ich suche DICH
Und DU lässt DICH finden

Ich warte
Und DU begegnest mir

Glückliches Erschrecken
Atemloses Entzücken
Erkennen
Sein

Alphabet 1
(Vom verlorenen Menschen)

A	Abgehaun!	
B	Bedauernswert	
C	chaotisch!	
D	Desillusioniert!	
E	Eingebrochen!	
F	Faszination	Fehlgriff
G	gewichen!	getan!
H	Hinterrücks	
I	infiziert (mit)	
J	Jammer,	
K	Klage.	
L	Leben =	
M	Malheur.	
N	Nachbessern? Nein! Nichtswürdig.	
O	Orientierungsloses	
P	Palaver! Permanente	
Q	Quälerei! Qualvoller	
R	Reinfall! Ruin.	
S	Sehnsucht	
T	treibt (mich)	
U	um.	
V	Vater, (ich)	
W	will	
X		
Y		
Z	zurück!	

Alphabet 2
(Vom gefundenen Menschen)

A   Angenommen!
B   Beschenkt!
C   Christus,
D   (nur) DU!
E   Endlich
F   frei!
G   Gott
H   hilft!
I   Ich
J   juble:
K   König
L   liebt
M   mich!
N   Neuanfang!
O   Oase (mit)
P   Palmenhain! Paradies!
Q   Quicklebendige Quelle!
R   Regenbogenfarbige Rettung!
S   Sagenhafte Schönheit!
       Schrankenlose Seligkeit!
T   Traumhaftes,
U   unbegreifliches, überwältigendes,
V   verblüffend
W   warmes, wunderbares
X
Y
Z   Zuhause.

Fast ohne Worte

Angst? Nein.
Sehnsucht? Schweigt.
Schmerz? Vorbei.

Heimat.
Frieden.
Geborgenheit.

Hier wohnt Liebe.
Hier wächst Freude.
Hier ist Leben.

Heimat

Dass ich zurückkommen kann
nach so vielen Jahren
auf denselben Wegen
die mir einst so vertraut

Dass die Vögel singen
die Wiesen neu grünen
das Bächlein murmelt
das Haus noch steht

Dass die Tür offen ist
der Tisch gedeckt
das Zimmer geschmückt
das Bett bereit

Dass sich mir Arme entgegenstrecken
und ich willkommen bin
erwartet, erwünscht
und unvergessen

Das spricht von DEINER Treue
Das singt von Liebe,
Hoffnung und Trost
Das lässt mich weitergehen

„Ich bin das A und das O, der Erste und der
Letzte, der Anfang und das Ende."
Offenbarung 22,13

Ostern (1)

Alle Träume ausgeträumt
Alle Wünsche zerschlagen
Keine Hoffnung auf Zukunft
Die Furcht im Nacken
Am Ende

Vom Schmerz betäubt
Ratlos, verwirrt
Zitternd vor Angst
Eingeschlossen
Verloren

Doch dann kommst DU
Bringst den Frieden
DEINE Gegenwart heilt
DU bist der Lebendige
Welche Freude

DU gibst den Geist
Öffnest die Türen
Freiheit
DEIN Auftrag ist Zukunft und Leben
Halleluja

Am Abend aber dieses ersten Tages der Woche, als die Jünger versammelt und die Türen verschlossen waren aus Furcht vor den Juden, kam Jesus und trat mitten unter sie und spricht zu ihnen: Friede sei mit euch!

Und als er das gesagt hatte, zeigte er ihnen die Hände und seine Seite. Da wurden die Jünger froh, dass sie den Herrn sahen.

Da sprach Jesus abermals zu ihnen: Friede sei mit euch! Wie mich der Vater gesandt hat, so sende ich euch.

Und als er das gesagt hatte, blies er sie an und spricht zu ihnen: Nehmt hin den heiligen Geist!

Johannes 20, 19-22

Aufbruch   (oder Ostern 2)

Aufgebrochen die Erde,
die so steinhart war.
DU hast sie umgegraben,
aus festgestampften Wegen
fruchtbares Ackerland gemacht.

Und ich ahne Spitzen DEINER Saat.

Aufgebrochen die Herzen,
die fest verschlossen waren.
Du hast die verlorenen Schlüssel gefunden,
die verrosteten Türangeln
geölt und beweglich gemacht.

Und ich ahne, wie wir DIR öffnen.

Aufgebrochen die Gefängnisse,
die wir selbst bauten,
in denen wir saßen.
DU hast die Mauern erschüttert.
Jetzt können wir einander
und den Himmel wieder sehen.

Und ich ahne, wie wir uns die Hände reichen.

Aufgebrochen die Gemeinde,
die sich eingerichtet hatte.
DU hast die Sehnsucht gegeben,
die uns vorwärts treibt.

Und ich ahne,
wie wir uns auf den Weg machen.

Aufgebrochen bist DU,
uns vorzubereiten auf DEIN Kommen.
Wie gut, dass DU es tust,
wir wären sonst verloren.

Und ich ahne, wie DU alles neu machst.

Ostern   (3)

Mein Schuld, mit DIR begraben,
Niemals darf sie auferstehn.
Niemals muss ich mich mehr schämen.
Fröhlich darf ich vor DIR stehn.

Trauer weicht, die Ketten springen.
Ich darf leben, spielen, singen.
Alles hast DU hingegeben
Für mein neues, reiches Leben.

Hast mir Frohsinn aufgetragen.
Drum hinweg, ihr bösen Klagen.
Ich will jetzt und alle Zeit
Loben die Barmherzigkeit.

Freut euch immerzu, weil ihr mit dem Herrn
verbunden seid.

Philipper 4,4

Hirtenlied

Lämmer trinken, spielen, laufen,
balgen, toben, springen, raufen,

denn

Das Leben ist schön, der Hirte ist gut.
Voll Weisheit und Treue ist das, was er tut.
Er sorgt für Weide und Wasser und Schutz;
aus Liebe, nicht etwa aus Eigennutz.
Und sollte der Hund den Feind auch sichten,
dann hin zum Hirten. Er wird es richten.
Drum können wir froh das Leben genießen
und jeden Halm, den Gott lässt sprießen.

Mütter rasten voll Behagen,
unbekümmert, ohn' Verzagen

denn

Das Leben ist schön, der Hirte ist gut.
Voll Weisheit und Treue ist das, was er tut.
Er sorgt für Weide und Wasser und Schutz;
aus Liebe, nicht etwa aus Eigennutz.
Und sollte der Hund den Feind auch sichten;
nur ruhig, nur ruhig. Der Hirte wird's richten.
Ihn wollen wir lieben, ihm woll'n wir vertrau'n
und froh uns're Halme kau'n und verdau'n.

Vater – Land

So vertraut wie ein Kind
das ich selber geboren
Wie die Heimat
die ich längst glaubte verloren

Wie der Baum
unter dem dort mein Bettchen stand
Wie der Himmel
der sich darüber gespannt

Wie das Lied
das der Vater mir leise gesungen
Wie der zärtlichste Ton
der je an mein Ohr gedrungen

*W*ie der Geruch
von Milch, Butter und Brot
*W*ie die Zuflucht
in Angst, Schmerzen und Not

*S*o bist DU mir begegnet
*S*o habe ich DICH erkannt
*S*o hast DU mich gesegnet
*S*o bleibe ich DIR verwandt

*V*erwoben, verflochten
in Glück und Beschwerde
*D*U schufst mich ja
aus Mutter – Erde

Himmelskönig

Wer eilt durch das Dunkel?
Wer bricht durch die Nacht?
Der Herr aller Herrn ist's!
ER kommt mit Macht.
ER bringt die Hilfe.
ER zieht in die Schlacht.
Bevor ich IHN rief,
hat ER es vollbracht.

Wer bricht durch die Nacht?
Wer stürmt da heran?
Der König ist es,
der Krieger, der Mann!
ER streitet für mich.
ER bricht den Bann.
ER kämpft ihn nieder,
den alten Tyrann.

Dann klopft er voll Sehnsucht
an meine Tür:
„Mach auf, meine Schöne,
dein Retter ist hier."
Da jauchzt und jubelt mein Herz in mir:
„Für immer, mein König,
gehöre ich DIR."

Leben

Schenk mir einen Augenblick,
spiegle Wert und Schönheit mir.

Treu geb´ ich es dir zurück,
seh´ dasselbe auch in dir.

Liebe heißt das Zauberwort.
Leise öffnet es die Tür

zum heil'gen, gnadenreichen Ort.

Lebenswasser gibt es hier.

Jeder schöpft es für den andern,
demütig und ohne Gier.

Freude bringt´s und Kraft zum Wandern.
Komm doch! Worauf warten wir?

Versprechen

In aller Unvollkommenheit

will ich dich lieben,
dich ehren und achten,
dir zugewandt sein.

In aller Unvollkommenheit

will ich dich tragen und trösten,
dir helfen und trauen,
dir Heimat geben
in guten und schweren Zeiten.

In aller Unvollkommenheit

will ich mich dir zumuten,
mir helfen lassen,
mich tragen und trösten lassen,
mich immer wieder einlassen auf dich.

Trotz aller Unvollkommenheit

will ich nicht aufgeben,
weder dich noch mich,
auch nicht unsere gemeinsame Sache,
unseren gemeinsamen Weg,
unseren Traum.

In aller Unvollkommenheit

will ich mit dir alt werden.

„Wenn aber kommen wird das Vollkommene,
so wird das Stückwerk aufhören. Nun aber
bleiben Glaube, Hoffnung, Liebe, diese drei; aber
die Liebe ist die größte unter ihnen."
                                    1. Korinther 13, 10.13

Frühlingserwachen

Und plötzlich ein Klingen
Ein Tanzen und Springen
Ein Singen und Schwingen
In allen Dingen

Ein Nehmen und Geben
Abheben und Schweben
Erschauern und Beben
Vor so viel Leben

Sich fangen und fassen
Und wieder loslassen
Sich sehen und drehen
Und völlig verstehen

Beschenkt und gefüllt
Mit Melodien
Mit Liebe gestillt
Dann weiterziehen

Das Leben frisch wagen
An allen Tagen
Und streuen den Segen
Auf allen Wegen...

Gespräch

„Lieb mich, so wie ich bin!
Trau mir, trotz meiner Grenzen!
Glaub an mich, auch wenn ich falle!
Rette mich, wenn es sein muss, vor mir !

Such mich, wenn ich mich verliere!
Bleib mir, wenn alles zerfällt!
Zieh mich DIR nach und zu DIR!
Lass mich nie los. Sei gut zu mir!"

„ICH liebe dich, so wie du bist.
ICH traue dir, trotz deiner Grenzen.
ICH glaube an dich, auch wenn du fällst.
ICH rette dich, wenn es sein muss,
auch vor dir.

ICH suche dich, wenn du dich verlierst.
ICH bleibe dir, wenn alles zerfällt.
ICH ziehe dich mir nach und zu mir.
ICH lasse dich nie los. ICH bin dir gut."

Ver(w)irrt

Wir haben gekämpft.
Wir haben gehofft.
Wir glaubten,
auf DEINEN Wegen zu gehen.

Waren wir nicht klein genug?
Waren wir nicht rein genug?
Wie konnten wir DICH nur
so völlig missverstehen?

Nun sind wir beladen
mit Zweifeln und Fragen;
mit Schuld, Schmerz und Qual,
können DICH kaum noch sehen.

Ach hör' unser Klagen,
das Weinen und Flehen.
Erbarmer komm,
und lass DEINEN Trost
durch unsere armen Herzen wehen.

„Der Tod ist verschlungen vom Sieg. Tod, wo
ist dein Sieg? Tod wo ist dein Stachel?"
1. Korinther 15, 54b.55
„Lass dir an meiner Gnade genügen, denn
meine Kraft ist in den Schwachen mächtig."
2. Korinther 12, 9a

Abschied

Zerrissen das Band
Zerbrochen der Ring
Zerstört die Hoffnung
auf Heilung und Leben

Zertreten die Blüte
Zerronnen der Traum
Zerfallen das Glück
Zerschlagen das Morgen

DU
Vertrauter meiner Tränen
und dunklen Stunden

DU bleibst
DU trägst
DU hilfst
DU heilst

Wann heilst DU?

Zornig

Es tobt der Sturm, die Blitze zucken
Die Lippen müssen Lava spucken
Zu lang schon muss das Herz sich ducken
Zorn, Schmerz und Widerspruch
verschlucken

Jetzt bäumt sich's auf höchst unsozial
Es brüllt und wütet kolossal
Ach Gott, ach Gott, sieh meine Qual!
Ist es DIR denn ganz egal

Wie ich leide, schreie, krampfe
Hilflos mit den Füßen stampfe
Sinnlos Essen in mich mampfe
Schritt für Schritt verlier im Kampfe?

Ich habe doch nur DICH begehrt!
Bin ich DIR denn gar nichts wert?
Warum hast DU DICH abgekehrt
Und mir diesen Kampf beschert?

Zuspruch

Mag sein,
dass dich deine Eltern nicht verstehen,
deine Kinder enttäuschen,
deine Freunde vergessen (verraten?)
und niemand zu dir hält.

Mag sein,
dass dich deine Gesundheit verlässt,
deine Kräfte dahinschwinden,
dein Wissen erlischt
und dein Können ungefragt ist.

Mag sein,
dass es schwierig wird,
dass Kummer und Unheil
auf dich warten.

Dann fürchte dich nicht.
Denn **_ICH werde da sein,
dir unendlich nah sein._**

Vertraue mir.
Sei mutig
Und achte auf die vielen kleinen Zeichen.

Shalom

(Jesaja 61, 1-3 / Matthäus 5, 3-12)

Friedensstifter
Sorgenvergifter

Angstvertreiber
Bei-mir-Bleiber

Feindbezwinger
Rettungbringer

Pfadführer
Herzberührer

Treuer Hüter
Heilausbrüter

Wer sonst kann das sein?
Friedefürst
DU bist es allein

Schluchtüberwinder
Wundenverbinder

Furchtbesieger
Für-mich-Krieger

Liebender Vater
Kluger Berater

Trockner der Tränen
Ziel alles Sehnen

Herzensschreihörer
Unheilzerstörer

Wer sonst kann das sein?
Friedefürst
DU bist es allein

Sucher und Finder
verlorener Kinder

Kraftschenker
An-mich-Denker

Gefangnenbefreier
Sündenverzeiher

Einzig gerechter
Rechtwächter

Wegbereiter
Lichtverbreiter

Wer sonst kann das sein?
Friedefürst
DU bist es allein

Lass DEINEN Frieden mich berühren
Tief im Herzen lass mich spüren

wie die Angst ihre Macht verliert
und DEINE Stärke mich regiert

wie Weisheit meinen Willen lenkt
mein Wesen Freundlichkeit empfängt

und wie DU meine Schmerzen stillst
mich mit Barmherzigkeit erfüllst

Ich brauch DICH. Ich brauch DICH.
Ich brauch DICH. Herr, ich brauche DICH.

Ich glaub DIR, vertrau DIR,
ich lieb´ DICH und ich weiß:

Herzgewinner
Trostersinner

Umarmer
Erbarmer

Wer sonst kann das sein?
Friedefürst
Du bist es allein

Reichtum

Augen voller Anteilnahme
sehen dich an,
weinen auch Tränen
um dich dann und wann.

Ohren sind bereit.
Sie wollen dir zuhören,
und lassen sich dabei
von gar nichts stören.

Arme wollen dich halten
und Hände berühren.
Sie wollen dich zart
durch das Dunkel führen.

Füße sind bereit,
den Weg mit dir zu gehen.
Solange du willst,
woll'n sie für dich einstehen.

Ein Mund, eine Stimme
bestürmen den Herrn
um Hilfe und Trost für dich.
Sie tun das so gern.

Ein Herz voller Liebe
achtet zärtlich auf dich.
Wenn du einen Engel brauchst,
rufe mich.

Fürbitte

Hüll ihn ein in DEINE Liebe.
Deck ihn zu mit DEINEM Trost.
Erfreue ihn mit DEINER Freude.
Mach ihn wieder ganz getrost.

Sieh, wie schwach ich ihn gefunden.
Blick ihn bitte freundlich an.
Lege auf ihn DEINE Hände,
dass er wieder leben kann.

Lass ihn spüren DEINE Nähe.
Nimm ihn zärtlich an DEIN Herz.
Trockne seine heißen Tränen.
Heile seinen tiefen Schmerz.

Lass ihn nicht aus DEINEN Armen,
bis er wieder ganz gesund,
und erfüllt von DEINER Güte
Dank DIR singt mit frohem Mund.

„Ein Samariter aber, der auf der Reise war, kam dahin; und als er ihn sah, jammerte er ihn; und er ging zu ihm, goss Öl und Wein auf seine Wunden und verband sie ihm, hob ihn auf sein Tier und brachte ihn in eine Herberge und pflegte ihn. Am nächsten Tag zog er zwei Silbergroschen heraus, gab sie dem Wirt und sprach: Pflege ihn; und wenn du mehr ausgibst, will ich dir's bezahlen, wenn ich wiederkomme."

Lukas 10, 33-35

Ach, DU liebe Güte

Darf ich wirklich zu DIR kommen?
Bin ich nicht zu schlecht?
Sieh, hier stehe ich beklommen;
weiß, DU bist gerecht.

Liebegüte DU,
bring mich ganz zur Ruh,
deck den Mangel zu,
mach mich still im Nu,
lieb mich immerzu,
Liebegüte DU.

Bin ich wirklich nicht zu hässlich,
schmutzig oder klein?
Liebst DU mich auch ganz verlässlich?
Darf ich wirklich sein?

Liebegüte DU,
bring mich ganz zur Ruh,
deck den Mangel zu,
mach mich still im Nu,
lieb mich immerzu,
Liebegüte DU.

Wird die Liebe wirklich siegen
über allem, was ich bin?
Wird die Schuld nicht schwerer wiegen?
Was hast DU mit mir im Sinn?

Liebegüte DU,
bring mich ganz zur Ruh,
deck den Mangel zu,
mach mich still im Nu,
lieb mich immerzu,
Liebegüte DU.

Hin zum Vater, hin zum Sohn!
Frag nicht länger mehr.
Hin zum Kreuz und hin zum Thron!
Komm, es ist nicht schwer.

Liebegüte DU,
bringst mich ganz zur Ruh,
deckst den Mangel zu,
machst mich still im Nu,
liebst mich immerzu,
Liebegüte DU.

Unbeschreiblicher

Unermesslich DEINE Größe
Unbezwingbar DEINE Kraft
Ungebrochen DEINE Treue
Unbegreiflich, Herr, bist DU

Ungewöhnlich DEINE Wege
Unerforschlich DEINE Weisheit
Unauslöschlich DEINE Liebe
Unbegreiflich, Herr, bist DU

Unantastbar DEINE Reinheit
Unumstößlich DEIN Wort
Unschätzbar DEINE Gnade
Unbegreiflich, Herr, bist DU

Ungezählt DEINE Werke
Unendlich DEIN Reich
Unerschöpflich DEIN Wesen
Unbegreiflich, Herr, bist DU

Unvorstellbar DEINE Herrlichkeit
Unverkennbar DEINE Art
Unvergänglich DEINE Herrschaft
Unbegreiflich, Herr, bist DU

Unzerstörbar DEINE Ehre
Unausweichlich DEINE Macht
Unumstritten DEINE Schönheit
Unbegreiflich, Herr, bist DU

Unvergleichlich DEINE Lieblichkeit
Unfehlbar DEINE Sicht
Unergründlich DEIN Denken
Unbegreiflich, Herr, bist DU

Bezahlt

Wie oft habe ich DICH verloren,
versuchte selber, klug zu sein.
Ich wünschte mir ganz unverfroren:
Mein Wille soll geschehen allein.

Wie oft habe ich DICH vergessen,
hab nur nach eignem Glück gefragt.
Ich herrschte stolz und unterdessen
solltest DU tun, was mir behagt.

Wie oft habe ich DICH verlassen,
mein Herz an dies und das gehängt.
Ich hatte Angst, was zu verpassen.
Und gabst DU nicht, war ich gekränkt.

Wie oft hast DU mir schon vergeben,
dass ich so eigensinnig bin.
DU gabst DICH für mein trotzig Leben
und für jeden Neubeginn.

So oft will ich mich vor DIR neigen
und DIR meinen Dank erzeigen,
mich auf ewig DIR verschreiben
und in DEINEM Haus verbleiben.

Philosophie

DU bist. Und DU bist gut
Und es ist gut, dass DU bist
Und dass DU bist, wie DU bist
Weil DU bist, wie DU bist
Nämlich gut

Und ich bin, weil DU bist
Und es ist gut, dass ich bin
Weil DU bist
Und weil DU bist, wie DU bist
Nämlich gut

Weil ich bin und DU bist
Und DU bist, wie DU bist
Sing ich DIR, was DU bist
Nämlich gut

Weil DU bist
Und weil DU bist, wie DU bist
Und weil ich weiß, dass DU bist
Und ich weiß, wie DU bist,
Ist es so, wie DU bist
Nämlich gut

Am Abend

Will leise sitzen
Zusehen
Wie die Sonne sinkt

Dämmerung sich ausbreitet
Hitze verklingt
Farbe zu Dunkel wird
und Lärm zur Stille

Nacht legt sich sanft
Über das Land

Beendet das Heute
Relativiert das Wichtige
Dämpft den Trubel
Deckt das Unheile

Ich lasse los
Gebe den Tag
In DEINE Hände

Shabbat

Gemeinsam vor DEINEM Thron stehen,
Hand in Hand mit den anderen.
DICH preisen für DEINE Liebe.
DIR danken für DEIN Handeln.
DICH erheben in DEINER Größe.
DIR sagen, DU bist gut.

In DEINEN Augen die Liebe sehen.
Ausruhen in DEINEN Armen.
Durch DEINE Nähe Kraft empfangen.
Verändert werden in DEIN Bild.
Freude spüren, Wärme und Geborgenheit.
Wissen, hier bin ich zu Hause.

Ein Fest feiern zu DEINER Ehre.
Stolz und Eigenliebe loslassen lernen.
Frei werden von mir selbst,
Heil, ehrlich und offen.
DEINE Freundlichkeit erleben.
Satt werden an DEINEM Tisch.

Beladen mit Segen zurückkommen.
Austeilen, Schöpfen aus dem Vollen.
In DEINER Kraft und in DEINER Liebe
Reich Gottes bauen, dort wo ich stehe.
DEINEN Auftrag hören
Und ausüben in Treue.

LEBENSBILDER

5. Kapitel

Gleich darauf schaukelte das Boot auf dem Wasser. Wie selbstverständlich griff Lia nach einem Paddel, dass sie vor sich liegen sah. Etwas ratlos drehte sie es in ihren Händen. „Woher soll eine Landratte wie ich denn wissen, wie man paddelt?", fragte sie sich und spürte zum ersten mal seit ihrem Aufbruch so etwas wie Angst oder Unsicherheit. Doch das verflog, als sie ihre Augen wieder auf den Rücken des Mannes richtete, dem sie gefolgt war. Wie geschickt und kraftvoll er sein Paddel gebrauchte!

Lange sah Lia ihm dabei zu. Sie beobachtete, wie er das Paddel in seinen Händen hielt. Sie sah, wie er es auf einer Seite leicht ins Wasser tauchte, während es sich auf der anderen Seite in die Höhe hob. Und sie achtete genau auf den Rhythmus. Nun versuchte sie es selbst. Es war nicht einfach. Mal schwitzte sie vor Anstrengung. Dann fror sie, weil das Wasser vom Paddel an ihr herunterlief. Doch Lia gab nicht so leicht auf. Sie ignorierte das Brennen an ihren Händen. Wenn sie aus dem Takt kam, setzte sie neu ein. Zwischendurch machte sie lange Pausen, in denen sie wieder und wieder den Mann vor sich beobachtete, seine

Bewegungen und seinen Takt in sich aufnahm. Dabei wurden ihre eigenen Bewegungen immer geschickter. Ihre Kraft wuchs. Immer seltener kam sie aus dem Takt. Immer weniger Wasser floss an ihrem Paddel ins Boot. Und nach einiger Zeit war aus Lia eine recht geschickte Paddlerin geworden.

Jetzt hatte sie eine neue Idee. Sie wollte sich umdrehen und nachsehen, ob noch andere außer ihr im Boot waren. Gedacht – getan. Als sie den Kopf wandte, sah sie gleich hinter sich einen Jungen sitzen. Sie erkannte ihn sofort. Auf dem Land waren sie lange gemeinsam unterwegs gewesen. Doch dann hatten sie sich aus den Augen verloren. Lange hatte Lia nach dem Jungen gesucht, bevor sie schließlich zögernd allein weitergegangen war. Wie freute sie sich, ihn jetzt wiederzusehen. Hinter ihm saßen noch andere Kinder. Da waren ein schwarzhaariges und ein rothaariges Mädchen, ein freundlicher Junge und einer, der ein rechter Wildfang war. Lia kannte sie alle. Gemeinsam mit vielen anderen hatten sie in dem Haus am Meer gewohnt.

Lia spürte ein festes Band, eine tiefe Beziehung, die sie auf geheimnisvolle Weise mit den anderen in ihrem Boot verband. Von ganzem Herzen freute sie sich über jeden einzelnen. Und sie freute sich auf die Fahrt, die vor ihnen lag. So ein Abenteuer hatte sie sich schon lange gewünscht. Und in der Hoffnung, schon etwas davon erspähen zu können, wandte sie ihren Kopf wieder nach vorn.

Doch was Lia da sah, erschreckte sie sehr. Denn der Platz vor ihr – er war leer. Wo war der geheimnisvolle Mann, dem sie gefolgt war? Wie sollten sie ohne ihn den Weg über das Meer finden? Wie gut kannte sie ihn eigentlich? Wenn es nun ein Feind gewesen war, der sie in Gefahr bringen wollte; ein Böser, dem daran lag, dass sie sich für immer verirrte; oder einer, der den Weg selbst nicht wusste? Schlimme Erinnerungen, Zweifel, Unsicherheit, Verwirrung und Selbstvorwürfe quälten Lia. Im Handumdrehen hatten sie aus dem fröhlichen, neugierigen Mädchen ein verschrecktes Bündel aus Angst und Schmerz gemacht. Erschrocken versuchten Lias Freunde, sie zu trösten. Und fast schafften sie es auch. Doch selbst wenn Lia lachte – der Schmerz blieb. Er wurde ihr treuester Begleiter.

6. Kapitel

Bei den vielen neuen Eindrücken hatte keiner im Boot bemerkt, dass sie auf eine Insel zusteuerten. „Land in Sicht", rief der wilde Junge plötzlich und gleich darauf knirschte es unter dem Boot. Alle sprangen ins Wasser. Mit vereinten Kräften zogen sie das Boot auf den flachen Sandstrand. Dann sahen sie sich um. Gleich hinter dem schmalen Sandstreifen erhoben sich hohe und sehr steile Felsen. Auf der Suche nach einem Weg oder einer Aufstiegsmöglichkeit gingen die Kinder langsam den Strand entlang. Nach einer Weile kamen sie zu einem kleinen Haus. Es stand unter einem Felsvorsprung und war mit seiner Rückseite fest an den Berg gebaut. „Hallo", riefen die Kinder und klopften. Als keine Antwort kam, versuchten sie, die Tür zu öffnen. Sie war nicht verschlossen, wie sie befürchtet hatten. Und es war auch niemand im Haus. Zögernd gingen sie hinein. Das kleine Haus bestand nur aus einem einzigen Raum. Tische standen darin, Hefte, Bücher und Stifte lagen darauf und vor den Tischen standen Stühle. Die Kinder sahen sich an. Das war doch ein Klassenzimmer! Da sie sehr wissbegierige Kinder waren, dauerte es nicht lange, bis sie an den Tischen saßen, sich in die Bücher vertieften und eifrig lernten. Am Ende jedes Buches fanden sie Prüfungsfragen und jeder gab sein Bestes dabei, sie zu beantworten.

Nach langer Zeit sah Lia von ihren Büchern auf. Sie streckte die verspannten Glieder. Dabei blieb ihr Blick an einer Treppe hängen, die etwas verborgen hinter einem Vorsprung nach oben führte. War die schon die ganze Zeit da gewesen? Sie machte die anderen darauf aufmerksam. Und da alle fanden, dass sie genug gelernt hatten, machten sich die Kinder gemeinsam auf den Weg nach oben.

Es war eine lange Treppe, die sie jetzt hinaufstiegen. Oben angekommen sahen sie ein weites, flaches Land mit grünen Wiesen im Sonnenschein vor sich liegen. Es gefiel ihnen sofort. Fröhlich zogen sie los, um es zu erkunden. Nach einiger Zeit beobachteten sie etwas Seltsames. Weit vor ihnen sahen sie es aufblitzen. Kurz darauf krachte und donnerte es und sie hörten lautes Geschrei. Während sie noch überlegten, was das wohl sein könnte, sahen sie, wie es sich wiederholte. Diesmal war es schon näher. Dann noch näher. Und plötzlich sahen sie kleine Autos hin und her flitzen. Männer saßen darin mit Gesichtern, die aussahen, als ob sie aus Stein gemeißelt wären. Aus den Seitenfenstern ihrer Autos warfen sie kleine silberne Kugeln. Die Kinder sahen, wie sie im Sonnenlicht aufblitzen und eine Weile später explodierten. Das waren doch Bomben. Oder?

Trotz der Gefahr blieben die Kinder. Sie legten sich ebenfalls Autos zu und flitzten mit ihnen durch das Land. Immer wieder entdeckten

140

sie dabei Brandsätze, Mienen und diese silbernen kleinen Kugeln. Bei dem Versuch, sie zu entschärfen, passierte es dann: Es gab einen Unfall. Gemeinsam mit anderen kümmerte Lia sich um die schreienden und blutenden Menschen. Dabei war sie selbst verletzt. Da es aber eine innere Verletzung war, merkte es niemand. Lia selbst ignorierte den immer heftiger werdenden Schmerz. Dann spürte sie plötzlich, wie etwas in ihr starb. Jetzt konnte sie nicht einmal mehr um Hilfe rufen. Trotzdem blieb sie bei ihrer Arbeit. Sie half und verband und tröstete. Und niemand außer ihr selbst wusste um den Jammer, den Mangel, die Qual, den Tod und die stummen Hilfeschreie in ihr.

7. Kapitel

Obwohl die Kinder die gequälten Menschen auf dieser Insel liebgewonnen hatten, beschlossen sie doch, weiterzuziehen. Sie verabschiedeten sich, stiegen die Treppe zum Strand hinab und schoben ihr Boot wieder ins Wasser. Lia hatte ein Heft aus dem Klassenraum mitgenommen. Dahinein schrieb sie jetzt ihre Erlebnisse. Sie fragte die anderen, welchen Namen sie der Insel geben wollten. Die Jungen waren für „Terroristeninsel". Doch das klang den Mädchen zu kriegerisch. Als sie sich schließlich auf „Hochlandinsel" geeinigt hatten, lag diese schon weit hinter ihnen.

Tagelang sahen sie nichts als Wasser. Doch eines Morgens entdeckten sie in der Ferne eine weitere Insel. Als sie näher kamen, sahen sie, dass es sich diesmal um ein sehr flaches Stück Land handelte. Obwohl sie mit aller Kraft paddelten, erreichten sie es erst nach Sonnenuntergang. Gerade, als sie ihr Boot an Land schoben, sahen sie eine Lichterkette näherkommen. Gleichzeitig hörten sie fröhliche Stimmen und Musik. Da zog auch schon ein Festumzug an ihnen vorüber. Zuerst kam eine Musikkapelle mit Blasinstrumenten. Die Menschen dahinter lachten und sangen. Sie trugen Fackeln in ihren Händen. Viele säumten den Weg und jubelten, während die Prozession an ihnen vorüberzog. Dann gingen alle in ein großes, hellerleuchtetes Haus.

Niemand hatte die Kinder bemerkt. Niemand hatte sie angesprochen oder eingeladen. Trotzdem gingen sie den Menschen nach. Sie wollten doch sehen, was es da zu feiern gab. Als sie in das Haus traten, sahen sie viele überaus festlich gekleidete Menschen in Gruppen zusammenstehen, miteinander reden und lachen. In ihren Händen hielten sie wertvolle Kristallgläser, die mit einem köstlich perlenden Getränk gefüllt waren. Als Lia die silbernen und goldenen Pünktchen darin aufsteigen sah, wurde ihr bewusst, wie durstig sie war. Und weil gerade ein Kellner mit gefüllten Gläsern an ihr vorüberlief, griff sie zu. Doch seltsam, als sie das Getränk kosten wollte, bekam sie nichts davon in ihren Mund. Wieder und wieder setzte sie das Glas an. Doch so sehr sie auch kippte und schüttelte, ihr Mund blieb so trocken wie vorher. Lia begann, die Leute zu beobachten. Wenn sie ganz genau aufpasste, würde sie bestimmt herausfinden, was sie falsch machte. Doch egal, wie lange und genau sie auch schaute, es blieb immer dasselbe Bild. Alle redeten, schwatzten und lachten. Doch keiner schien sie zu bemerken. Und nie sah sie jemanden aus seinem Glas trinken.

Plötzlich fühlte Lia, wie etwas an ihrem Rock zupfte. Ein kleines Mädchen, etwa halb so groß wie sie selbst, stand vor ihr und sagte kläglich: „Ich habe Hunger". „Ich auch", antwortete Lia. Dann nahm sie die Kleine an die Hand. Gemeinsam gingen sie zu dem großen Tisch in der Mitte des Raumes. Hier war alles aufgebaut, was man sich an gutem Essen nur vorstellen konnte: Wunderbar saftiges Obst; frisches Brot, Fleisch und Käse in vielen Sorten, Schüsseln mit Salaten und bunten Leckereien und noch viel mehr. Lias Augen konnten sich kaum von der saftigen Melone losreißen. Das kleine Mädchen zeigte verlangend auf eine Puppe aus Marzipan. Lia nahm beides. Ohne Bedauern bezahlte sie den hohen Preis, den man dafür verlangte. Doch weder ihr noch dem Kind gelang es, etwas von dem teuer Erkauften in den Mund, geschweige denn, in den Magen zu bekommen. Ratlos sahen sie sich an. Dann hatte Lia einen Einfall. Sie nahm mehrere Gläser mit diesem perlenden Getränk und ging damit ins Badezimmer. Dort traf sie einen hochaufgeschossenen Jungen, den sie vom Haus am Meer kannte. „Steck doch mal den Stöpsel in die Wanne", bat sie ihn. „ Ich will probieren, ob man in dem Zeug wenigstens baden kann." „Das habe ich auch gerade versucht", antwortete er ihr. „Es geht nicht. Dieses Zeug ist zu gar nichts nütze. Man sollte es nehmen und in den Müll schmeißen." Lia konnte es kaum glauben. Doch der Junge hatte Recht. So sehr sie sich auch anstrengte, es gelang ihr nicht, den Inhalt der Gläser in die Wanne zu schütten.

Da verging Lia der Spaß an diesem seltsamen Fest. Sie wollte nicht mehr herausbekommen, was hier gefeiert wurde. Sie wollte auch nicht mehr wissen, wovon diese Leute lebten. Sie wollte nur noch weg. Am Ausgang traf sie ihre Freunde. Jeder von ihnen hatte inzwischen seine eigenen Erfahrungen gemacht und sie waren sich einig. Noch in dieser Nacht wollten sie weiter- fahren. An einem kleinen Bach in der Nähe tranken sie sich satt. Kurze Zeit später saßen sie wieder in ihrem Boot. Im ersten Morgengrauen schrieb Lia den Namen auf, den sie der Insel gegeben hatten: Feierinsel. Und dann fuhren sie neuen Abenteuern entgegen.

8. Kapitel

Später tat es Lia leid, dass sie so überstürzt aufgebrochen und dem Rätsel nicht auf den Grund gegangen waren. Vielleicht hätte sie die anderen einfach ansprechen und fragen sollen. Besonders leid tat es ihr, dass sie sich nicht einmal von dem kleinen Mädchen verabschiedet hatte. Doch dazu war es jetzt zu spät. Beim nächsten mal würde sie aber nicht so leicht aufgeben. Das nahm Lia sich ganz fest vor.

Nach mehreren Tagen entdeckten die Kinder weit vor sich einen weißen Fleck. Lange waren sie nicht sicher, um was es sich dabei handelte. Es hätte eine Wolke sein können, oder Nebel oder vielleicht ein weißes Schiff. Als sie näher kamen, sahen sie aber, dass es eine Insel war. Im Sonnenlicht schimmerte und glänzte sie so hell und weiß, dass den Kindern bald die Augen davon schmerzten. Trotzdem paddelten sie weiter. Und dann wurde ihnen plötzlich klar, was an dieser

Insel so anders war: Es war eine Winterinsel. Tief verschneit und still lag sie vor ihnen.

Bald hatte sich die Ruhe dieser Insel auf die Kinder übertragen. Flüsternd stießen sie sich an, deuteten mit Fingern und Gesten, verständigten sich mit Blicken: Das wollten sie sich näher ansehen. Bald darauf stießen sie auf festes Eis. Sie stiegen aus dem Boot. Dann zogen und schoben sie es so lange, bis tiefer Schnee ihnen klarmachte, dass sie die Insel erreicht hatten. Als sie sich umblickten, sahen sie zu ihrem Erstaunen mehrere Wege. Wie vom Schneepflug gezogen führten sie vom Ufer weg, hinein in den tief verschneiten Wald vor ihnen. Ein Weg begann genau vor Lias Füßen. Sie folgte ihm. Und bald war sie ganz allein in der weißen Stille.

Lia lief und lief. Am Anfang merkte sie kaum, dass der Weg ständig nach oben führte. Später begann sie zu klettern. Irgendwann kam sie auf eine Höhe, in der keine Bäume mehr wuchsen. Von hier konnte sie weit über das Land sehen. Bis jetzt hatte sie sich streng auf dem Weg gehalten. Doch nun sah sie an einer abschüssigen Stelle rechts neben dem Weg vereiste Stufen, die nach unten führten und ein paar Pfützen, die zugefroren waren. Das Eis auf den Pfützen sah aus, als ob man es ganz leicht mit den Schuhen zerbrechen konnte. Eine unbändige Lust überkam

Lia, genau das zu tun. Und ehe sie sich versah, stand sie neben dem Weg auf dem glatten Eis. Heftig hackte sie mit ihren Füßen darauf herum. Doch es war fester, als sie gedacht hatte. So sehr sich Lia auch anstrengte, ihre Kraft reichte nicht aus. Nein, sie konnte das Eis nicht zerstören. Da drehte sie sich um – und erschrak. Schlagartig wurde ihr klar, dass sie sich in einer äußerst gefährlichen Situation befand. Um auf den Weg zurückzukommen, musste sie ihr ganzes Gewicht auf ein Bein verlagern und sich damit gleichzeitig kräftig abstoßen. Sollte sie dabei auf dem spiegelglatten Untergrund wegrutschen, würde sie unweigerlich in die Tiefe stürzen. Wenn sie doch nur etwas finden würde, woran sie sich festhalten konnte! Doch da war kein Baum, kein Strauch. Nichts als Schnee und Eis und weit und breit niemand, der ihr hätte helfen können. Oder doch? Plötzlich sah Lia jemanden den bis jetzt menschenleeren Weg herunterkommen. Es war eine kleine, alte Frau mit rundem Gesicht, weißen Haaren und einem großen Korb auf dem Rücken. Da begann Lia zu rufen. Ihre ganze Hilflosigkeit, ihre Einsamkeit und Angst lagen in dem Schrei. „Hilfe!", rief sie und erschrak dabei vor ihrer eigenen Stimme. „Hilfe! Ich brauche eine Hand!" Da stand die Frau schon über ihr. Lia fasste nach ihrer ausgestreckten Hand. Im nächsten Moment stand sie sicher auf dem Weg. Jubelnd fiel sie der Frau um den Hals. Staunend sah Lia in das freundliche Gesicht und die warmen Augen ihrer

Retterin. In den Armen, die sie fest und sicher hielten, fühlte sie sich völlig geborgen. „Großmutter, das bist ja du!" Lia konnte kaum glauben, was sie sah. „Lia, mein Kind", hörte sie eine vertraute Stimme liebevoll sagen. „Du machst aber auch Sachen." Und schon war sie wieder allein.

Doch Lia fürchtete sich nicht mehr. Fröhlich ging sie den Weg weiter in die Richtung, aus der die Frau gekommen war. Dabei sang sie laut vor sich hin. Bald kam sie an eine Kurve. Nur noch ein paar Meter und sie stand an einer riesigen Mauer aus Schnee und Eis. Was sollte sie tun? Lia bog nach links ab und stapfte neben der Mauer durch den tiefen Schnee. Nach einer Weile glaubte sie, Lichter zu sehen und kurz danach fand sie sich auf einem verschneiten, mittelalterlichen Markt wieder. Staunend betrachtete sie die Auslagen in den Hütten. Was wurde hier nicht alles angeboten. An einer Hütte sah sie einfache Holzkugeln, die auf eine Schnur gezogen waren. Zu gerne hätte sie so eine Kette gehabt. Doch Lia hatte kein Geld. Wie staunte sie aber, als sie beim Weitergehen gleich neben ihrem Weg Geldstücke im Schnee liegen sah. Nun konnte sie sich ihren Wunsch doch erfüllen.

Später entdeckte Lia ein großes Haus. Es lag ein wenig abseits, halb versteckt hinter uralten

Bäumen und übte eine starke Anziehungskraft auf sie aus. Als sie es betrat, sah sie, dass es sich um eine Klosterschule handelte. Für ihr Leben gern wollte Lia hier lernen. Ein Mann mit einer Schriftrolle verlas gerade die Namen der neuen Schüler. Als sie ihren eigenen Namen hörte, weinte sie vor Freude. Es war ein sehr großer und tiefer Herzenswunsch, der nun in Erfüllung ging.

Irgendwann spürte Lia, dass ihre Zeit hier zu Ende ging. Sie verabschiedete sich von den Lehrern und Mitschülern und machte sich auf den Rückweg. Am Ufer des Meeres traf sie ihre Freunde. Gemeinsam schoben sie ihr Boot über das Eis, bis sie das offene Meer erreichten. Und wieder einmal waren sie unterwegs.

9. Kapitel

Diesmal hatten sie keine ruhige Fahrt. Heftige Stürme und hohe Wellen machten ihnen zu schaffen. War dies wirklich dasselbe Meer, in dessen warmen Wassern sie gebadet und Heilung empfangen hatten? Auf dessen ruhigen und glitzernden freundlichen Wellen sie mehr oder weniger mühelos dahingeglitten waren? Sie hatten geglaubt, dass das Meer ihr Freund sei, der sie irgendwann einmal ans Ziel bringen würde.

Doch jetzt erinnerte es eher an ein aufgebrachtes und sehr böses Ungeheuer, das sie verschlingen wollte. Wütende Regen- und Hagelschauer prasselten auf die schutzlosen Kinder. Eiskalte Wasserwellen ergossen sich in ihr Boot. Nebel nahm ihnen jegliche Sicht und die Paddel wurden über Bord gespült. Verängstigt, frierend und weinend hielten sich die Kinder aneinander fest. Mit äußerster Kraftanstrengung versuchten sie, das von allen Seiten eindringende Wasser wieder ins Meer zu schöpfen und das Boot vor dem Umschlagen zu bewahren. Trotzdem war das Ende abzusehen. Und alle wussten, dass sie keine Chance hatten, den Sturm lebend zu überstehen.

Doch die Katastrophe blieb aus. Irgendwann war der Höhepunkt überschritten. Der Sturm heulte nicht mehr ganz so laut. Auch der Regen ließ etwas nach. Fast unmerklich verloren die Wellen an Höhe und Wucht. Das Wasser im Boot stieg nicht weiter. Die Kinder sahen sich an. In ihren Augen spiegelten sich Hoffnung und Angst. Doch mit jedem Moment wurde die Hoffnung stärker.

Bald hörte der Regen ganz auf. Die Wellen verloren ihre Bedrohlichkeit. Der Wind legte sich. Und dann – geschah das Wunder: Genau vor ihnen zerriss der Nebel. Und durch diesen Riss glitt das Boot in die Wärme und den hellen

Sonnenschein hinaus. Alle schlossen geblendet die Augen. Doch einen Moment später blinzelten sie schon wieder in die Helligkeit. Was sie sahen? Genau vor ihnen lag eine Insel mit grünen Wiesen, blühenden Bäumen und Blumen. Da standen Frauen in langen, mit Blüten bestickten Röcken und bunten Blusen. Sie unterhielten sich angeregt. Kleine Mädchen in hellen Kleidern hatten bunte Bänder in ihr Haar gebunden. Genau wie die Frauen trugen sie dicke Blumensträuße in ihren Händen. Festlich gekleidete Jungen und Männer verteilten gerade Zweige und Farne unter sich.

Langsam trieb das Boot näher. Dann stieß es auf Grund. Gerade, als die nassen und erschöpften Kinder an Land taumelten, begann das Unglaubliche.

10. Kapitel

Plötzlich begannen die Menschen zu rufen und zu jubeln. Über einen Hügel kamen andere Menschen gerannt. Erst waren es nur wenige. Doch dann wurden es immer mehr. Jetzt verstand Lia auch, was sie riefen. „Der Bräutigam kommt! Der Bräutigam kommt!", riefen die Leute, die vom Hügel gelaufen kamen. Und „Hoch lebe der

König!", antworteten ihnen die anderen. Dann vermischten sich die Gruppen und alle gemeinsam kamen langsam auf die Kinder zu.

Doch Lia merkte es kaum. Ihre Augen waren starr auf den höchsten Punkt des Hügels gerichtet. Ihr Herz schlug so heftig, dass sie kaum atmen konnte. Alles in ihr öffnete sich. Mit aller Macht und äußerster Sehnsucht streckte es sich dem entgegen, was von dort kam. Sie wusste nicht, was es war. Und zitterte doch vor Aufregung und Erwartung und Spannung.

Dann hatten die Menschen Lia erreicht. Sie fassten ihre Hände, nahmen sie in ihre Mitte und zogen sie mit sich fort. Lia ging wie im Traum. Sie sah nicht die Menschen. Sie sah auch nicht das kleine Haus, zu dem sie geführt wurde. Das einzige, was sie sah, war die Bergkuppe. Sie konnte die Augen einfach nicht davon abwenden.

Dann wurde sie in das Haus gebracht. Eine Frau führte sie in das Badezimmer. Sie zog ihr die zerrissenen Kleider aus und half ihr in eine Wanne mit wunderbar warmen Wasser. Vorsichtig und sanft begann sie damit, Lias zerschundenen Körper zu waschen. Dann wurde Lia abgetrocknet. Ihre Wunden wurden mit Salbe behandelt und sie bekam ein neues Kleid. Das war schöner, weicher und passender als alle

Kleider, die sie jemals gesehen oder getragen hatte. Nun bürstete die Frau Lias Haar. All dies tat sie mit einer Zartheit und Aufmerksamkeit, dass es Lia ganz seltsam berührte. Jetzt brachte man sie in ein anderes Zimmer. Als man Lia ins Bett legen wollte, erwachte ihr Widerstand. „Ich will nicht schlafen. Ich kann auch nicht. Ich muss zu der Bergkuppe..." Die Frau lächelte nur und sagte: „Es ist noch nicht so weit. Du musst dich erst ausruhen. Sonst reicht deine Kraft nicht. Aber du brauchst keine Angst zu haben, dass du den Zeitpunkt verpasst." Da gab Lia nach. Aufseufzend sank sie in das vorbereitete Bett. Im nächsten Moment war sie schon eingeschlafen. Zärtlich deckte die Frau sie zu. Weit öffnete sie das Fenster. Ein kleiner bunter Vogel kam aus dem Garten hinter dem Haus. Er setzte sich auf das Fensterbrett und begann, zu singen.

11. Kapitel

Lia schlief tief und fest. Trotzdem fand das Lied den Weg in ihr Herz. Es berührte sie an einer Stelle, die war so voller Schmerz, dass ihr im Schlaf die Tränen über das Gesicht rollten. Sie wusste nicht, wie lange sie so lag. Und sie wusste auch nicht, dass sie weinte. Doch plötzlich spürte sie eine Veränderung. Und gleich darauf war sie nicht mehr allein. Arme hatten sich um sie gelegt. Und eine warme Stimme sagte ganz dicht an ihrem Ohr: „Aber Kind, du weinst ja. Willst du mir nicht sagen, was dich so quält?"

Da zerbrach etwas in Lia. Wie bei einem Dammbruch wurde alles von einer gewaltigen Flutwelle überschwemmt. Höher und höher stieg diese Flut. Und plötzlich brach sie aus Lia heraus. „Ich bin so allein", schluchzte sie und hatte dabei das Gefühl, als ob sich ihr Innerstes nach Außen kehrte und sie völlig umgekrempelt wurde. „Ich bin so allein. Heimatlos. Nirgends gehöre ich wirklich hin. Niemand braucht mich. Und ich habe keinen Platz. Jedenfalls keinen, wo ich bleiben könnte und wohin ich für immer gehöre. Schon immer war das so. Und es wird wohl für immer so sein. Verschreckt und verjagt bin ich, verirrt und verloren. Mal kann ich nicht bleiben. Mal darf ich es nicht. Immer wenn ich dachte, dass ich meinen Platz gefunden hatte, musste ich wieder los. Loslassen. Weiter ziehen. Solange ich denken kann, bin ich unterwegs."

Jetzt verlor das Schluchzen seine unheimliche Macht. Das krampfhafte Weinen wurde sanft wie ein Sommerregen. Die Arme, die Lia gehalten hatten, hoben sie auf und trugen sie durch den Raum zu einem Platz. Tröstend wiegten sie Lia hin und her. Und plötzlich wusste Lia wo sie war. Sie wusste, dass es der Vater war, der sie hielt. Und sie wusste, dass es sein Schoß war, auf dem sie jetzt saß. Ihn hatte sie gesucht, erwartet, ersehnt. Und jetzt war er da. Über die Bergkuppe war er zu ihr gekommen.

Da schmiegte sie sich an seine Brust. Und als er zu reden begann, fiel jedes seiner Worte ganz tief in ihr Herz. „Hier ist dein Platz", hörte sie die geliebte Stimme sagen. „Hier auf meinem Schoß. In und an meinem Herzen. Schon vor langer Zeit habe ich diesen Platz für dich bereitet. Niemand außer dir kann ihn ausfüllen. Denn er gehört nur dir. Für alle Zeiten ist es dein Platz. Nie hat dich jemand von hier vertrieben. Und niemals habe ich dich verlassen. Immer und immer war ich dir nah. Ich weiß, deine Gefühle haben dir etwas anderes gesagt. Doch ich sage dir: sie haben gelogen. Du selbst musst entscheiden, ob du ihnen weiterhin glauben willst, oder ob du mir vertraust."

Lia hörte dem Vater aufmerksam zu. „Warst du auch bei mir, als ich auf dem Fensterbrett im Haus am Meer stand und vor Sehnsucht nicht wusste, was ich tun sollte?", fragte sie jetzt.

„Hast du mich denn nicht erkannt? Du bist doch sofort gekommen, als ich dich rief. Und auf dem Weg zum Boot warst du die ganze Zeit hinter mir."

„Das warst du?" Vor Staunen richtete Lia sich auf. „Aber du bist nicht geblieben. Oder doch? Wo warst du auf der Hochlandinsel, als ich und viele andere so schlimm verletzt wurden?"

„Ich weiß, dass du mich nicht gesehen hast", antwortete die Stimme. „Du warst ja auch so beschäftigt mit dem, was geschah. Willst du mir trotzdem glauben, dass ich bei dir war?"

Lia dachte nach. Etwas zögernd nickte sie dann. „Aber auf der Feierinsel, da war ich allein. Jedenfalls habe ich mich so gefühlt. Niemand auf dem Fest hat sich um mich gekümmert. Niemand hat mir zu essen und zu trinken gegeben."

„Du hast versucht, mir zu essen zu geben. Du hast meine Hand gehalten und dich liebevoll um mich bemüht."

Noch einmal fuhr Lia vor Staunen hoch. Gleichzeitig wurde eine längst gehegte Ahnung in ihr zur Gewissheit. „Du warst das kleine Mädchen. Und du warst auch die Frau, die mir auf der Winterinsel half. Deshalb kam sie mir so vertraut vor. Und weil sie mir so vertraut vorkam, glaubte ich, es sei meine Großmutter."

Lia spürte, dass der Vater lächelte. „Mein Liebes", flüsterte er zärtlich. „Ist jetzt alles gut?"

„Alles", antwortete sie und kuschelte sich noch einmal ganz fest in seinen Arm. Und darüber muss sie wohl eingeschlafen sein.

12. Kapitel

Als Lia die Augen öffnete, wurde es gerade hell. Vor ihrem Fenster sah sie einen Baum. Seine mit Blüten bedeckten Zweige reichten fast bis ins Zimmer. Ein kleiner Vogel saß auf dem Baum und schmetterte aus voller Kehle sein Morgenlied. Gerade, als Lia ans Fenster trat, fielen die ersten Sonnenstrahlen auf die Bergkuppe. Still stand Lia da. Sie lauschte und schaute.

Bald darauf trat die Frau von gestern in ihr Zimmer. Lia fragte, ob die Insel, auf der sie sich befanden, einen Namen habe. „Hochzeitsinsel", antwortete die Frau mit einem wissenden Lächeln. Und Lia dachte, dass sie genau das erwartet hatte.

Jetzt hörte man Stimmen und Schritte vor der Tür. „Du wirst abgeholt", sagte die Frau zu Lia. Einen langen Moment hielten sie sich umarmt. „Danke für alles", flüsterte Lia. „Behüt´ dich Gott", antwortete die Frau. Dann brachten die fröhlichen Menschen Lia zum Meeresufer. Hier traf sie ihre Freunde. Lia fand, dass sie sich verändert hatten. Es war nicht nur die neue Kleidung. Irgendein Geheimnis aus Licht und Kraft lag über ihnen und band sie noch enger zusammen, als zuvor.

Ihr Boot war über Nacht repariert worden. Beim Näherkommen sahen sie, dass auch neue Paddel darin lagen. Und es war über und über mit Blumen geschmückt. Die Kinder stiegen ein. Die Menschen riefen und winkten. Als die Paddel ins Wasser tauchten, lösten sich einige Vögel von einem Baum am Ufer. Erst flogen sie einen Kreis genau über den Kindern. Dann drehten sie ab und flogen über das Meer. Immer weiter. Und das Boot folgte ihnen.

13. Kapitel

Bald merkten die Kinder, dass die Hochzeitsinsel von unendlich vielen, kleinen und größeren Inseln umgeben war. Sie sahen, wie die Vögel auf eine Gruppe von drei Inseln zuflogen, die nur durch schmale Wasserstreifen getrennt waren. An einer dieser Inseln entdeckten sie einen morschen Steg. Ein Haus schimmerte durch die Bäume eines verwilderten Gartens. Es war weder groß noch klein, weder alt noch neu. Und es gefiel Lia sofort.

Kaum an Land, war sie schon auf dem Weg zum Haus. Von dort kamen ihr zwei seltsame Tiere entgegen. Halb Vogel, halb glitschiges Wassertier krochen sie an Lia vorbei zum Meer und verschwanden. Obwohl Lia sich vor Abscheu schüttelte, ging sie unbeirrt weiter. Ein Hirsch mit einem riesigen Geweih und sein Reh versperrten ihr nun den Weg. Doch als Lia weiterging, verschwanden sie auf demselben Weg, wie die ersten Tiere. Jetzt stürzte ihr ein übergroßes Wildschwein mit langen Stacheln wütend entgegen. Um nicht aufgespießt zu werden, warf Lia sich flach auf die Erde. Danach blieb alles still. Unbehelligt kam sie nun zum Haus, öffnete die Tür und trat ein. Sie sah mehrere Türen und eine Treppe, die nach oben führte.

Als erstes öffnete Lia die Tür links neben sich. Sie kam in einen freundlichen, hellen Raum. Ohne Zweifel war es die Küche des Hauses. Wie modern sie eingerichtet war. Nichts schien zu fehlen. Nur rechts an der Wand, die kleine Fußbank wirkte irgendwie verloren in dem großen Raum. „Eigentlich sollte dort eine richtig schöne Eckbank stehen. Ein großer Tisch mit einer bunten Decke, ein Blumenstrauß und eine dicke Kerze wären auch nicht schlecht" dachte Lia. Und eine flüchtige Vorstellung von vielen wohlschmeckenden Mahlzeiten und warmen, freundschaftlichen Gesprächen huschte durch ihren Sinn. Dann trat sie ans Fenster, öffnete es weit und atmete tief. Wie würzig die Luft war, die da zu ihr hereinströmte. Sie sah, dass ihre Freunde im Park mit Aufräumarbeiten begonnen hatten. Gerade brachten sie am neugebauten Steg ein Schild an. „Herbergsinsel", las Lia, und in ihrer Vorstellung sah sie eine lange Reihe von abgekämpften Seefahrern, verletzten Schiffbrüchigen und anderen Besuchern vom Steg aus auf sich zukommen. „Es gibt viel zu tun", murmelte sie und wandte sie sich wieder der Küche zu. Doch wie staunte sie, als sie sah, was inzwischen passiert war. Dort, wo erst die Fußbank war, stand jetzt genau die Essecke, von der sie geträumt hatte. Ein junger Mann, der ihr seltsam bekannt vorkam, saß da und sah sie freundlich an. Einladend klopfte er mit der einen Hand auf den Platz neben sich. Die andere Hand lag auf einem aufgeschlagenen Buch. „Komm", sagte er. „Ich will dir etwas Wichtiges zeigen." Ein Blitz durchzuckte Lia. Diese Stimme, diese Augen. Nein, es gab nicht den geringsten Zweifel. Dort saß der, dem all ihre Liebe galt, alle Sehnsucht, alle Tränen und jeder Schmerz. Liebevoll wissend sah er sie an. Da sank Lia neben ihm auf die Bank. Sie versuchte die Worte zu entziffern, auf die seine Hand zeigte:

„Daran könnt ihr erkennen, dass der Herr, euer Gott, es gut mit euch meint. Er erzieht euch wie ein Vater seine Kinder. Beachtet deshalb seine Weisungen! Lebt so, wie es ihm gefällt, und habt Ehrfurcht vor ihm! Der Herr, euer Gott, bringt euch in ein gutes Land. Es ist reich... und... es wird euch an nichts fehlen... Wenn ihr dann reichlich zu essen habt, preist den Herrn, euren Gott, für das gute Land, dass er euch geschenkt hat! Hütet euch davor, ihn zu vergessen... Denn er... (hat) euch... befreit. Er war es, der euch... geführt hat...! Denn er hält sich an den Bund, den er mit euren Vorfahren geschlossen hat und der heute auch für euch gilt."
(Hoffnung für alle; nach 5. Mose 8, 5-18)

Geborgenheit

Alle Tage. Alle Zeit.
Wenn ich dies Eine nur kann fassen,
dann fürcht´ ich nicht die Dunkelheit,
trau DIR auf allen Straßen.

Trifft mich auch Not, Gefahr und Leid,
quält mich der Menschen Hassen;
DEIN treues, freundliches Geleit
macht still mich und gelassen.

Und wenn mich dann zu seiner Zeit
das Leben wird verlassen,
stehst DU am Tor zur Ewigkeit
bereit, mich einzulassen.

Wirst mich voll Liebe und voll Freud
begrüßen und umfassen.
Und ich dank DIR im weißen Kleid,
beglückt ohn´ alle Maßen.

Und siehe, ich bin bei euch alle Tage, bis an
der Welt Ende.

Matthäus 28,20b

Er aber sprach zu ihr: Meine Tochter, du bist
alle Zeit bei mir, und alles, was mein ist, das ist
dein.

Lukas 15,31

Von derselben Autorin lieferbar:

Worte im Farbenspiel

Taschenbuch, 112 Seiten
ISBN 978-3-7528-2104-8

In diesem Buch legt Simone Grünig eine weitere Auswahl ihrer Gedanken und Gebete, Gedichte und Meditationen in die Hände und Herzen ihrer Leser.

Die Texte ermutigen zu echtem, ehrlichem Gespräch mit IHM und zum Einlassen auf seine Liebe und Nähe.